# PIÈGE AU COLLÈGE

Publié avec l'autorisation de HarperCollins *Children's* books.
© 2000 HarperCollins® Publishers Inc.
Texte copyright © 2000 Lemony Snicket.
Illustrations copyright © 2000 Brett Helquist.
Titre original : *A Series of Unfortunate Events - THE AUSTERE ACADEMY*
© Éditions Nathan/VUEF (Paris – France), 2003
© Éditions NATHAN, SEJER, 25 avenue Pierre de Coubertin, 75013 Paris,
2009 pour la présente édition
Loi n° 49-956 du 16 juillet 1949 sur les publications destinées à la jeunesse,
modifiée par la loi n° 2011-525 du 17 mai 2011.
ISBN 978-2-09-252485-5

# PIÈGE
# AU COLLÈGE

Lemony Snicket

Illustrations de Brett Helquist
Traduction de Rose-Marie Vassallo

Nathan

*Pour Beatrice*

*À jamais dans mon cœur,*
*dans mes pensées*
*— dans la tombe.*

## Chapitre I

S'il existait une médaille d'or réservée à la pire chipie de la planète, elle serait détenue – et pour longtemps – par une certaine Carmelita Spats. De toute manière, l'intéressée vous l'aurait arrachée des mains, cette médaille, si vous aviez tardé à la lui donner. Carmelita Spats était une petite pimbêche teigneuse, hargneuse, arrogante, revêche, et il m'en coûte de parler d'elle. Cette histoire contient déjà bien assez de choses pénibles sans être obligé, en plus, de décrire une mégère en herbe.

Les vrais héros de ce récit sont les orphelins Baudelaire, par bonheur, et non Carmelita Spats. Et si ces trois-là détenaient une médaille, ce serait celle de la résistance à l'adversité. *Adversité* est un vieux mot qui regroupe les coups du sort, les ennuis, les calamités, bref, tout ce qui vous tombe sur le dos, de préférence en cascade. Or les coups du sort, justement, étaient la grande spécialité de Violette, Klaus et Prunille Baudelaire. Leurs misères avaient débuté un jour qu'ils flânaient sur une plage. C'est là qu'ils avaient appris la disparition de leurs parents dans un terrible incendie, et ils n'avaient connu, depuis, que des catastrophes en série, à commencer par leur placement chez un parent éloigné, un dénommé comte Olaf.

S'il existait une médaille d'or de la vilenie toutes catégories, c'est au comte Olaf, justement, qu'elle reviendrait de plein droit. Le comte Olaf était cupide, retors, sans scrupules, bref, il était d'une scélératesse inqualifiable – et plus une chose est inqualifiable, plus il faut de mots pour la qualifier. Mais cette médaille d'or, avant de la lui remettre, il aurait fallu l'enfermer dans un coffre. Sinon, le comte aurait mis la main dessus sans attendre la cérémonie.

À vrai dire, en fait de médaille d'or, c'était plutôt l'immense fortune Baudelaire que convoitait le comte Olaf. Et c'est pour s'emparer de cette fortune qu'il pourchassait les trois enfants. Les orphelins avaient, de justesse, survécu à leur séjour chez lui, mais le comte Olaf, depuis lors, ne cessait de les harceler, escorté d'un ou de plusieurs comparses. Peu importait le tuteur chez lequel on plaçait les enfants ; toujours le comte resurgissait et reprenait ses manigances. Persécution téléphonique, usurpation d'identité, cuisine infâme, hypnose et j'en passe, tout lui était bon pour tenter de faire main basse sur cet héritage. Bien pis, une fois démasqué, il avait la détestable habitude d'échapper à la capture, si bien qu'on était certain de le voir réapparaître sous peu. Rien n'est plus navrant, je le sais, qu'un scénario qui se répète, mais c'est la triste réalité.

Quoi qu'il en soit, le fait est là : vous allez bientôt rencontrer l'odieuse Carmelita Spats et, si l'idée ne vous enchante pas, il est encore temps de refermer ce livre. Attention ! Plus que cinq lignes, et à partir de là les choses vont aller de mal en pis. Sous peu, les orphelins Baudelaire vont devoir résister à tant d'adversité que la hargne d'une Carmelita Spats semblera, par comparaison, aussi douce qu'une odeur de brioche.

– Écartez-vous, bon sang, espèces de pifgalettes ! corna dans le dos des enfants une voix de crécelle rouillée.

Et une petite pimbêche revêche passa en trombe au ras des orphelins, les bousculant comme des quilles sans même demander pardon.

Estomaqués, Violette, Klaus et Prunille n'ouvrirent même pas la bouche. Ils marchaient tête basse le long d'une allée de briques, fort ancienne à en juger par la mousse olivâtre qui suintait dans les interstices. De part et d'autre de l'allée s'étendait une immense pelouse (apparemment morte de soif) et, sur ce paillasson géant, des dizaines, des centaines d'élèves caracolaient en tous sens. De temps à autre, l'un d'eux dérapait et s'étalait dans l'herbe rêche, pour se relever aussitôt et repartir au galop. Pareil déploiement d'énergie semblait aussi vain qu'épuisant, deux choses à éviter à tout prix, mais les orphelins Baudelaire n'y prêtaient aucune attention. Ils avançaient le front bas, les yeux sur la mousse de l'allée.

La timidité est chose étrange : un peu comme les sables mouvants, elle vous saisit sans prévenir. Et, tout comme les sables mouvants, elle vous force à regarder vos pieds. Le phénomène est bien connu. Même les moins timides d'entre nous peuvent être un jour intimidés, du moins dans certaines circonstances. C'était la toute première fois que les orphelins Baudelaire mettaient les pieds dans un pensionnat, d'où cette fascination subite pour la mousse au bout de leurs orteils.

Mr Poe, qui fermait la marche, toussa dans son mouchoir blanc.

– Vous avez perdu quelque chose, les enfants ?

Mais les enfants gardèrent les yeux rivés au sol. S'il était un être au monde qu'ils n'avaient pas envie de regarder, c'était bien ce pauvre Mr Poe.

Mr Poe était le banquier chargé des affaires Baudelaire depuis la disparition des parents, et cette mission lui convenait autant que des bretelles à une anguille. Oh ! Mr Poe était bien brave. Mais un pot de moutarde aussi est bien brave ; et un pot de moutarde aurait, sans nul doute, mieux protégé les orphelins. Violette, Klaus et Prunille Baudelaire avaient depuis longtemps appris qu'on ne pouvait compter sur Mr Poe que pour une chose : tousser dans son grand mouchoir blanc.

– Non non, le rassura Violette, les yeux sur ses pieds. On n'a rien perdu du tout.

Violette était l'aînée du trio, et en temps ordinaire elle n'avait rien de timide. Violette était inventrice dans l'âme ; on la voyait souvent réfléchir à quelque invention en projet, les cheveux noués d'un ruban afin de bien se dégager les yeux. Ses inventions réalisées, elle aimait les montrer à ses proches, qui s'émerveillaient de ses talents. Pour l'heure, elle songeait à une machine anti-mousse, mais en même temps elle se tourmentait. Et si personne, dans ce pensionnat, ne s'intéressait aux inventions ? Aucun professeur, aucun élève, aucun représentant de l'administration ?

Comme s'il lisait les pensées de son aînée, Klaus lui mit une main sur l'épaule. Douze ans aux côtés de sa sœur avaient appris à Klaus qu'une main sur son épaule réconfortait toujours Violette – une main rattachée à un bras, bien sûr, et le bras au reste d'une personne. En temps ordinaire, Klaus aurait prononcé quelques mots en prime, mais lui aussi était intimidé. En temps ordinaire, Klaus était avant tout un lecteur insatiable. Mais le temps ordinaire n'existait plus, ce temps où Klaus lisait au lit, si tard qu'on le retrouvait au matin avec ses lunettes sur le nez. Pour l'heure, les yeux sur le dallage moussu, il songeait à un livre qu'il avait lu, *Mystère des mousses et autres bryophytes*, mais en même temps il se tourmentait. Et s'il n'y avait rien d'intéressant à lire, dans ce pensionnat ?

Prunille, la benjamine du trio, leva les yeux vers ses aînés, et Violette la prit dans ses bras. Prunille ne savait marcher que si on lui tenait la main ; sinon, elle allait à quatre pattes. Mais elle était tout à fait portative encore, et à peine plus grosse qu'un pain de campagne. Prunille aussi était intimidée, trop pour prononcer un mot. Pourtant, en temps ordinaire, elle prononçait des quantités de mots, même si aucun ne figurait dans un dictionnaire. Par exemple, ce jour-là, si elle avait ouvert la bouche, montrant ses quatre dents de castor, elle aurait sans doute déclaré « Marimo ! », autrement dit : « J'espère qu'il y a des choses intéressantes à mordre, dans ce pensionnat, parce que la vie sans mordre ne vaut pas d'être vécue. »

– Allons, reprit Mr Poe, je le sais, pourquoi vous avez perdu votre langue. C'est l'émotion, je comprends ça très bien. Moi aussi, à votre âge, je rêvais d'aller en pension. Mais je n'ai jamais eu cette chance. Je vous envie un peu, pour être franc.

Les enfants échangèrent des regards furtifs. Aller en pension, une chance ? Ils avaient des doutes. Retourner en classe, l'idée leur plaisait bien. Mais comment savoir ce qui les attendait ici ? Et si personne ne s'intéressait aux inventions ? S'il n'y avait rien de passionnant à lire ? Si mordre était interdit ? Le pensionnat, on y était enfermé jour et nuit, et pas seulement aux heures de cours. En silence, les enfants se disaient que Mr Poe n'avait qu'à y aller, lui, en pension, si vraiment il y tenait tant. Eux se seraient très bien vus à la banque.

– En tout cas, vous avez de la chance, poursuivit Mr Poe. J'ai dû appeler quatre établissements avant d'en trouver un qui accepte de vous prendre tous les trois et à si bref délai. L'Institut J. Alfred Prufrock – on dit souvent Prufrock tout court – est une maison réputée. Les professeurs sont bardés de diplômes. L'internat est un vrai palace. Et surtout, surtout, l'établissement est équipé d'un système informatique de pointe qui tiendra le comte Olaf à l'écart. Mr Nero – c'est le proviseur adjoint – m'a assuré avoir dans son ordinateur la description détaillée du comte, de l'œil tatoué sur sa cheville gauche à ses sourcils soudés en un seul. Par conséquent, cette fois, vous voilà protégés pour les années à venir.

– Mais comment un ordinateur peut-il nous protéger du comte Olaf ? demanda Violette, les yeux sur la brique de l'allée.

– Attention, nous disons bien : un système informatique de pointe, répondit Mr Poe sur le ton de l'évidence, comme si la pointe en question avait les mêmes vertus protectrices que celle d'un casque prussien. Donc, vous n'avez rien à craindre du comte Olaf. De plus, M. le Proviseur adjoint m'a promis de garder l'œil sur vous. Vous pensez bien que, dans un établissement d'avant-garde comme celui-ci, on ne laisse pas n'importe qui faire n'importe quoi.

– Eh ! dégagez, les pifgalettes ! lança de nouveau la voix de crécelle.

Et la petite pimbêche revêche repassa rasibus, à fond de train.

– *Pifgalettes*, à ton avis, c'est quoi ? chuchota Violette à son frère.

Grâce à sa boulimie de lectures, Klaus connaissait des tas de mots rares. Mais là, il haussa les épaules.

– Aucune idée. Pas l'air très flatteur.

– Quel mot charmant ! commenta Mr Poe. *Pifgalette*. Première fois que je l'entends. On dirait un nom de pâtisserie… Eh bien ma foi, nous y voilà !

Ils arrivaient au bout de l'allée et les enfants, levant les yeux, eurent un petit choc. En fait, s'ils avaient relevé le nez plus tôt, ils auraient vu depuis longtemps à quoi ressemblait l'endroit, mais peut-être n'était-il pas plus mal d'avoir différé la découverte.

Dessiner un bâtiment, lui donner son caractère, son humeur, c'est le travail de l'architecte. Dans le cas de Prufrock, l'architecte avait dû souffrir d'une petite déprime passagère. L'établissement se composait de cinq bâtiments, tous en pierre grise et polie, plus ou moins rangés en arc de cercle. L'accès à la cour intérieure se faisait par une grande arche de pierre qui projetait sur la pelouse son ombre noire. Sur son fronton on pouvait lire, inscrit en lettres énormes :

## Institut J. Alfred Prufrock
## Collège-Lycée privé – Pensionnat

et juste au-dessous, en plus petit, la devise du lieu :

### *« Memento mori »*

Mais ce n'étaient ni l'arche de pierre ni la devise qui pétrifiaient les enfants. C'était la silhouette des bâtiments. Le rectangle tout en hauteur, avec un arrondi au sommet, n'est pas une forme architecturale très courante, et ce contour n'évoquait aux enfants qu'une seule chose.

Pour eux, chacun de ces bâtiments ressemblait furieusement à une tombe.

– Curieuse architecture, n'est-ce pas ? fit observer Mr Poe. Vous avez vu ? Ces bâtiments ressemblent étonnamment à des... à des pouces dressés.

Enfin, peu importe. Tout ce qui vous reste à faire, maintenant, c'est aller vous présenter immédiatement dans le bureau de Mr Nero. C'est lui qui s'est occupé de tout, il vous attend. Son bureau est au neuvième étage du bâtiment principal, droit devant.

– Vous ne nous accompagnez pas ? s'alarma Violette.

Violette avait quatorze ans et à quatorze ans, en principe, on est tout à fait capable de se rendre sans escorte dans le bureau d'un proviseur adjoint. Violette le savait, mais elle ne tenait guère à entrer seule avec ses cadets dans l'un de ces bâtiments lugubres.

Mr Poe consulta sa montre et toussota dans son mouchoir.

– Hélas non, je suis désolé. Il est fort tard et je devrais être à mon bureau depuis longtemps. Mais j'ai longuement conversé au téléphone avec M. le Proviseur adjoint. Tout est arrangé par avance, ne vous inquiétez de rien. Et n'oubliez pas qu'au moindre problème vous pouvez toujours me joindre au Comptoir d'escompte Pal-Adsu.

Bien, et maintenant allez vite. Profitez pleinement de ce superbe collège, et dites-vous que ce sont les plus belles années de votre vie.

— C'est certain, assura Violette sur un ton plus ferme que ses jambes. Au revoir, Mr Poe, merci pour tout.

— Oui, merci, dit Klaus, serrant la main du banquier.

— Terfoun, fit Prunille, dont c'était l'une des façons de dire merci.

— Tout le plaisir est pour moi, conclut Mr Poe. À la prochaine.

Il prit congé d'un signe de tête et redescendit l'allée de briques.

Violette et Prunille le regardèrent s'éloigner, attentif à ne pas déraper sur la mousse et à éviter toute collision avec les météores de la pelouse. Klaus avait déjà détourné les yeux. Il inspectait l'arche et marmottait :

— Bon, pour *pifgalette*, je sèche, mais je crois que je peux traduire la devise du collège.

Violette relut l'inscription et dit :

– Ah ? Pour moi, c'est de l'hébreu.

– Racho, approuva Prunille.

– De l'hébreu, non, corrigea Klaus. Du latin ; pour une raison qui m'échappe, les devises sont souvent en latin. Je connais à peine dix mots de latin, mais ces deux-là, je me souviens de les avoir vus dans un livre sur le Moyen Âge. Et si vraiment ils signifient ce que je crois qu'ils signifient, c'est carrément une drôle de devise.

– Et ils signifient quoi, d'après toi ?

– Si je ne me trompe, répondit Klaus qui se trompait rarement, *Memento mori* veut dire : « Souviens-toi que tu mourras. »

– Souviens-toi que tu mourras, répéta Violette à mi-voix, et les trois enfants se resserrèrent comme si un petit vent coulis passait par là.

Tout le monde mourra un jour, c'est une certitude absolue – tous ceux pour qui ce n'est pas déjà fait. Les artistes de cirque mourront un jour, les clarinettistes mourront un jour, vous et moi mourrons un jour. Et peut-être, à l'instant même, quelqu'un que vous avez croisé ce matin va mourir dans quelques secondes, parce qu'il s'apprête à traverser la rue en oubliant de regarder de chaque côté. Chacun de nous mourra, mais sauf exception nous n'aimons guère qu'on nous le rappelle. Les enfants Baudelaire, en tout cas, n'avaient aucune envie de se rappeler qu'ils mourraient un jour, pas au moment de franchir l'arche à l'entrée du pensionnat. Non, ils n'avaient aucune envie de se le rappeler, au seuil de leur première journée dans ce cimetière géant où ils allaient devoir vivre.

## Chapitre II

**D**evant la porte du proviseur adjoint, les enfants songèrent à une parole de leur père, peu avant sa disparition. Ce soir-là, les parents Baudelaire étaient allés à un concert, laissant les enfants seuls à la maison comme ils le faisaient depuis quelque temps, depuis que Violette et Klaus étaient suffisamment grands et suffisamment raisonnables.

Dans ce genre de soirée, le trio avait ses rites. Pour commencer, Violette et Klaus faisaient une ou deux parties de dames tandis que Prunille déchirait de vieux journaux. Puis tous trois se nichaient dans les fauteuils de la bibliothèque et se plongeaient dans des livres jusqu'à ce que le sommeil s'empare d'eux. À leur retour, les parents Baudelaire les éveillaient très doucement et parlaient un peu de leur soirée, après quoi tout le monde allait au lit. Mais ce soir-là, les parents Baudelaire étaient rentrés tôt. Les enfants étaient encore en train de lire – ou plutôt, dans le cas de Prunille, en train de regarder des images. Leur père s'était encadré dans la porte et il avait prononcé ces mots : « Les enfants, je vais vous dire une chose. Il n'est pas de sons pires au monde que ceux tirés d'un violon par quelqu'un qui ne sait pas en jouer mais qui en joue quand même. »

Sur le coup, les enfants avaient éclaté de rire. À présent, devant cette porte, les paroles paternelles leur revenaient en mémoire, et ils mesuraient combien leur père avait eu raison.

Du fond du couloir, ils avaient d'abord cru à l'agonie d'un fauve, ou à la crise de nerfs d'un chat furieux. Mais à mieux écouter, ils avaient compris. Non, il s'agissait du pire : les sons tirés d'un violon par quelqu'un qui ne savait pas en jouer mais qui en jouait quand même. Les notes crissaient, grinçaient, miaulaient, se contorsionnaient de la plus horrible manière, si bien que Violette, n'y tenant plus, finit par frapper à la porte.

Elle dut s'y reprendre à trois fois, et frapper de plus en plus fort pour couvrir les odieux trémolos ; mais pour finir, la porte s'entrebâilla sur un grand bonhomme furibond, un violon calé sous le menton.

– Qui donc ose interrompre un génie dans ses gammes ? mugit l'apparition, d'un ton à vous ratatiner sur place.

– Les enfants Baudelaire, répondit Klaus d'un filet de voix, les yeux sur le parquet ciré. Mr Poe nous a dit d'aller directement au bureau de M. le Proviseur adjoint.

– *Mr Poe nous a dit d'aller directement au bureau de M. le Proviseur adjoint*, singea l'homme d'une voix de fausset. Eh bien entrez, au moins ! Croyez-vous que je vais y passer la journée ?

Les enfants avancèrent et virent un peu mieux l'homme qui venait d'imiter Klaus à la façon d'un perroquet ou d'un garnement de huit ans. Vêtu d'un costume brun fripé (avec une belle tache poisseuse sur la veste), il arborait une cravate ornée d'un motif d'escargots. Son nez minuscule et rougeaud avait tout d'une tomate cerise collée là en décoration, au milieu d'une trogne boutonneuse. Sur son crâne dégarni se dressaient quatre touffes de duvet dont il avait fait quatre couettes, retenues chacune par un élastique.

Jamais encore les enfants Baudelaire n'avaient posé les yeux sur pareil énergumène, et ils auraient grandement préféré ne pas avoir à poser les yeux sur lui. Mais la pièce était si minuscule qu'il était malaisé de les poser ailleurs. Il y avait là un petit bureau chromé enseveli sous les paperasses, avec une petite lampe chromée par-dessus et une petite chaise chromée par-derrière. L'unique fenêtre s'ornait de rideaux à motif d'escargots, assortis à la cravate de l'occupant. Le seul autre objet était l'ordinateur dans un angle, pareil à un crapaud géant. Sous l'écran aveugle s'alignaient des boutons, aussi rouges que le nez de l'inconnu.

– Mesdames et Messieurs, annonça celui-ci d'une voix forte, M. le Proviseur adjoint Nero !

Il y eut un silence et les trois enfants cherchèrent des yeux le proviseur adjoint, se demandant où il avait bien pu se cacher jusqu'alors. Puis leur regard revint sur l'homme aux couettes qui levait les bras en V, effleurant le plafond avec son violon et son archet, et brusquement ils comprirent : celui qu'il venait d'annoncer pompeusement n'était autre que lui-même.

Il se tut une seconde, toisa les trois enfants et laissa tomber, glacial :

– Il est de tradition d'applaudir, lorsqu'on vient de présenter un artiste.

Comme si toute tradition était, par définition, recommandable et recommandée ! Bien entendu, tel n'est pas le cas. La piraterie, par exemple, est une tradition séculaire. Cela signifie-t-il que nous devrions tous piller des navires ? Mais le proviseur adjoint avait la mâchoire si farouche que Violette, Klaus et Prunille choisirent d'honorer la tradition. Ils applaudirent avec force et n'arrêtèrent que lorsque l'artiste, sur une dernière courbette, décida de s'affaler sur sa chaise.

– Merci infiniment, bienvenue à l'Institut J. Alfred Prufrock *et caetera et caetera*, déclara-t-il (*et caetera* signifiant clairement qu'accueillir de nouveaux élèves était une tâche qui l'assommait – trop pour achever sa phrase). Sachez que c'est une grande faveur que nous faisons à Mr Poe de vous accepter tous les trois de la sorte, pour ainsi dire au pied levé. Il nous a juré que vous étiez des enfants modèles et que vous ne nous causeriez pas d'ennuis, mais j'ai mené ma petite enquête. Vous avez déjà usé une jolie collection de tuteurs, vous trois, et chaque fois ça s'est terminé par des tribulations sans fin. *Tribulations*, je vous le signale, signifie précisément : « ennuis ».

Klaus se retint de préciser qu'il connaissait déjà le mot.

— Dans notre cas, dit-il à la place, *tribulations* signifie seulement comte Olaf. C'est lui la cause de tous nos ennuis.

— *C'est lui la cause de tous nos ennuis !* répéta Mr Nero de sa voix de vieux perroquet. Bien franchement, moi, vos ennuis, je n'en ai rien à faire. Je suis un génie musical, je dois me consacrer à mon violon. C'est déjà bien assez démoralisant d'avoir dû prendre cet emploi de proviseur adjoint, tout ça parce qu'aucun orchestre n'est capable d'apprécier mon talent. Je ne vais pas, en plus, achever de me démoraliser en écoutant pleurnicher la marmaille. D'ailleurs, ici, à Prufrock, je vous préviens : fini de prendre le comte Olaf comme excuse ! Regardez.

Il se planta devant l'ordinateur et pianota. L'écran s'alluma vert, d'un vert papillotant, couleur de mal de mer.

— Voyez cet ordinateur ? C'est un matériel de pointe, équipé d'un logiciel ultra-performant.

Mr Poe m'a fourni toutes les informations utiles concernant votre comte Olaf, et je les ai entrées en machine. Voyez ? (Mr Nero pressa sur une touche, et un petit portrait du comte Olaf s'encadra sur l'écran.) À présent que notre ordinateur sait tout de lui, vous n'avez plus de souci à vous faire.

– Mais… hésita Klaus. Comment un logiciel peut-il tenir le comte Olaf à l'écart ? Rien n'empêche le comte de se faufiler ici et d'y faire du grabuge, même si son portrait apparaît sur un écran d'ordinateur.

– Je me demande bien pourquoi je perds mon temps, gronda le proviseur adjoint. Des petites têtes creuses comme les vôtres ne peuvent rien comprendre à un génie comme le mien. Oh ! mais on va vous éduquer, mes agneaux ! Vous sortirez d'ici éduqués, quand même je devrais vous casser bras et jambes pour parvenir à ce résultat. Ce qui me fait penser, il est temps que je vous montre l'endroit. Venez par ici, à la fenêtre.

Les enfants gagnèrent la fenêtre et regardèrent la pelouse roussie en contrebas. Depuis le neuvième étage, la cour grouillante d'élèves avait tout d'une fourmilière en folie, et l'allée de briques ressemblait à un vieux ruban qui traînait par terre. Campé derrière le trio, Mr Nero se mit à désigner les choses du bout de son archet.

– Bien. Le bâtiment où nous nous tenons est réservé à l'administration. L'accès en est strictement interdit aux élèves. Je répète : strictement interdit. Aujourd'hui, vous venez d'arriver ; je fermerai donc les yeux sur votre présence ici. Mais à partir de maintenant, si je vous revois dans ce bâtiment, la sanction sera immédiate : suppression définitive des couverts à tous les repas. Le bâtiment que vous voyez là-bas abrite les salles de classe. Violette, tu seras dans la classe de Mr Remora, salle 1. Klaus, tu seras dans la classe de Mme Alose – *madame*, parce qu'elle est d'origine française –, salle 2. Serez-vous capables, de vous en souvenir, salle 1, salle 2 ? Sinon, j'ai un excellent feutre indélébile ; je peux écrire salle 1, salle 2 dans la paume de votre main. L'encre résiste à tous les lavages.

– Pas de problème, on s'en souviendra, se hâta de dire Violette. Et dans quelle classe est Prunille ?

Le proviseur adjoint se redressa de toute sa hauteur, un mètre soixante-dix-huit dans les meilleures conditions de température et de pression, et laissa tomber :

– L'Institut J. Alfred Prufrock est un établissement sérieux et non un jardin d'enfants. J'ai informé Mr Poe que nous trouverions une *place* pour Prunille, mais certainement pas une *classe*. En conséquence, Prunille exercera un emploi de secrétaire.

– Arreg ? fit Prunille qui n'en croyait pas ses oreilles – et d'ailleurs *arreg* signifiait : « Quoi ? Je n'en crois pas mes oreilles. »

– Mais Prunille est un bébé, fit observer Klaus. Un bébé, ça n'est pas censé exercer un emploi.

– *Un bébé, ça n'est pas censé exercer un emploi*, singea Mr Nero. Mais un bébé n'est pas censé non plus être au collège. Un bébé, c'est bien incapable d'apprendre les tables de multiplication ou l'altitude du mont Everest. Donc, Prunille sera mille fois mieux dans ce bureau, à accomplir de petits travaux pour moi. Oh ! pas grand-chose, juste répondre au téléphone et un peu de paperasserie, rien de plus. En tout cas, rien de difficile, et c'est un honneur, il faut le souligner, de travailler pour un génie. Oh ! une petite précision : si vous arrivez en classe après l'heure, ou si Prunille arrive en retard au bureau, vous aurez les mains attachées dans le dos à l'heure du repas ; vous mangerez comme les poules et les canards. Naturellement, Prunille n'aura jamais ni cuillère, ni fourchette, ni couteau, puisqu'elle travaillera dans le bâtiment administratif où elle n'est pas censée entrer.

– Mais c'est complètement injuste ! éclata Violette.

– *Mais c'est complètement injuste !* l'imita Mr Nero de sa voix la plus flûtée. Bon. Trêve de sornettes. Dans le bâtiment sur la gauche, vous avez le réfectoire. Les repas y sont servis aux horaires affichés, que je vous conseille de respecter. Une minute de retard et nous vous retirons verres et bols ;

les boissons vous sont versées en flaques sur votre plateau. Le bâtiment à droite, c'est le grand auditorium – la salle de concert, si vous aimez mieux. J'y donne tous les soirs un récital de violon d'une durée moyenne de cinq à six heures ; obligation absolue d'y assister. *Obligation absolue* signifie qu'en cas d'absence vous êtes tenus de m'acheter un kilo de truffes en chocolat et de me regarder les manger. Les séances d'éducation physique et sportive se déroulent sur la grande pelouse. Notre professeur, miss Limande, ayant eu un accident récemment – elle est tombée d'une fenêtre du troisième étage –, nous attendons son remplaçant qui doit arriver sous peu. En attendant, j'ai ordonné aux élèves de courir en tous sens, aussi vite que possible, durant les heures de sport. Des questions ?

Prunille avait bien une question en tête – « Ogrif ? », autrement dit : « Peut-on imaginer pire ? » – mais elle était trop polie pour la poser. Klaus avait bien une question en tête – « Toutes ces règles et ces sanctions, c'est une plaisanterie, n'est-ce pas ? » – mais il savait d'avance que la réponse était non. Violette avait bien des questions en tête, oh ! bien des questions, mais une seule, elle le savait, valait d'être posée :

– Euh, je voulais vous demander… S'il vous plaît, où logerons-nous ?

La réponse était prévisible.

– *S'il vous plaît, où logerons-nous ?*

Apparemment, Mr Nero ne se lassait pas du jeu. Il attendit une seconde, puis il daigna compléter :

– Nous avons un superbe internat, ici, à Prufrock. Facile à repérer : troisième bâtiment à gauche, en forme de gros orteil. Immense foyer des élèves avec fauteuils en cuir et grande cheminée pour les flambées d'hiver. Salle de jeux, vaste bibliothèque. Chaque élève a sa chambre tout confort, avec coupe à fruits regarnie de fruits frais tous les mercredis. Tentant, non ?

– Très, reconnut Klaus.

– Krib ! glapit Prunille, autrement dit : « Des fruits ? Par exemple des coings et des amandes dans leur coque ? Super ! »

– Ravi de vous l'entendre dire, reprit le proviseur adjoint. Cependant, je crains que vous n'ayez guère l'occasion d'en profiter. Pour loger à l'internat, il faut une autorisation signée des parents ou d'un tuteur. Or vos parents sont décédés, et Mr Poe m'a informé que vous n'aviez plus de tuteur.

– Mais Mr Poe doit pouvoir la signer, lui, cette autorisation, dit Violette.

– En aucun cas. Il n'est ni votre parent ni votre tuteur. Il n'est que le banquier chargé de vos affaires.

– C'est plus ou moins la même chose, protesta Klaus.

– *C'est plus ou moins la même chose*, singea Mr Nero. Espérons qu'après un ou deux semestres à Prufrock, vous saurez faire la différence entre un parent et un banquier. Non, désolé, ce n'est pas du tout la même chose. Donc, faute d'autorisation, vous allez devoir loger dans une petite annexe en préfabriqué, à peine plus grande qu'un clapier à lapins. À l'intérieur, ni cheminée, ni fauteuils, ni salle de jeux, ni bibliothèque. Et pas de coupe à fruits non plus. Juste une botte de foin chacun, sur laquelle dormir. L'endroit est assez peu reluisant, je dois dire, mais Mr Poe m'a assuré que vous aviez l'expérience de l'inconfort. Vous êtes donc endurcis, je suppose.

Violette tenta le tout pour le tout :

– Vous ne pourriez pas faire une petite exception, s'il vous plaît ? Une toute petite ?

– Je suis violoniste ! explosa Mr Nero. J'ai mieux à faire que des exceptions ! À commencer par jouer du violon ! Si vous voulez avoir l'amabilité de disparaître, je pourrai peut-être me remettre au travail ?

Klaus ouvrit la bouche pour dire quelque chose, mais il leva les yeux vers le proviseur adjoint et renonça. Discuter, à quoi bon ? Autant parlementer avec une mule ou un rocher. Le front bas, il suivit ses sœurs dans le couloir.

La seconde d'après, à travers la porte, les enfants entendirent clairement un mot, un mot prononcé trois fois. Alors, ils surent avec certitude que le proviseur adjoint n'était pas désolé du tout, contrairement à ses dires. Car ce mot (qui figure dans tous les dictionnaires) n'était autre que *hi*, « interjection qui, répétée, exprime le rire ou, plus rarement, les pleurs ». Or le *hi ! hi ! hi !* de Mr Nero refermant la porte ne rendait pas du tout un son de pleurs.

Pour être honnête, il faut admettre que le son émis par Mr Nero n'était pas vraiment *hi ! hi ! hi !* Dans un roman, dans une BD, chaque fois que quelqu'un dit *hi ! hi ! hi !* (ou *ho ! ho ! ho !* ou *ha ! ha ! ha !* ou *ouaf ! ouaf ! ouaf !*), on sait qu'il est en train de rire. En réalité, le rire n'a rien à voir avec *hi* ou *ho* ou *ha* ou *ouaf*. Et celui de Mr Nero, son ricanement plutôt, était indescriptible. Il avait quelque chose d'un glapissement, quelque chose d'un sifflement, quelque chose d'un grincement de porte, quelque chose d'un crissement de chaise. Un peu comme si le proviseur adjoint avait mordu dans du fer-blanc au beau milieu d'une crise de hoquet. C'était un ricanement sans nom, avec une note cruelle dedans.

Il est toujours cruel de rire de quelqu'un, bien sûr, sauf si ce quelqu'un porte un chapeau farfelu et qu'on ne peut vraiment pas se retenir. Mais les orphelins Baudelaire ne portaient pas de chapeaux farfelus. Ils étaient trois enfants recevant de mauvaises nouvelles. Et, si vraiment le proviseur adjoint éprouvait le besoin de rire d'eux, il aurait au moins pu attendre d'être certain qu'ils n'entendaient plus.

La vérité est que Mr Nero se souciait comme d'une queue de cerise que les enfants l'entendent ou non. Et tous trois comprenaient soudain que leur père s'était trompé. Si, il existe pire son au monde que celui d'un violon aux mains de quelqu'un qui ne sait pas en jouer. Et ce pire son est le glapissement – sifflant, grinçant, crissant, cruel – d'un administrateur de collège ricanant de ses élèves.

## Chapitre III

« **F**aire une montagne d'une taupinière » est une expression imagée qui dit bien ce qu'elle veut dire.

Une taupinière, c'est un petit monticule de terre au-dessus des appartements d'une taupe, monticule qui ne dérange personne, sauf peut-être les tondeuses à gazon ou les orteils qui foncent sans regarder où ils vont. Une montagne, c'est un énorme monticule de terre qui pose pas mal de

problèmes. Une montagne, en général, c'est grand, c'est haut, c'est escarpé, et ceux qui en tentent l'escalade le paient parfois de leur vie. Souvent aussi, les nations se battent pour savoir à qui appartient une montagne ; des tas de gens partent pour la guerre et en reviennent grincheux ou estropiés. Sans oublier que les montagnes hébergent des bêtes peu recommandables, des ours, des mouflons, des aigles, qui s'en prennent aux pique-niqueurs et dévorent sandwichs ou bébés. Bref, faire une montagne d'une taupinière, c'est prétendre que les choses sont aussi détestables qu'une guerre, une avalanche ou un pique-nique gâché, alors qu'elles sont tout au plus de la gravité d'un orteil tordu.

« Faire une taupinière d'une montagne » est une expression plus rare, et pourtant, assez souvent, elle conviendrait tout à fait. C'est ce que comprirent les enfants Baudelaire en arrivant à la « petite annexe » où ils allaient devoir loger. Non, le proviseur adjoint n'avait rien exagéré en parlant d'endroit peu reluisant. Il était tout à fait exact qu'il s'agissait de préfabriqué, c'était même de la simple tôle. Il était tout à fait exact que l'intérieur était minuscule, tout à fait exact qu'il n'y avait ni cheminée, ni fauteuil, ni salle de jeux, ni bibliothèque. Il était tout à fait exact que trois bottes de foin y tenaient lieu de lits, et qu'il n'y avait pas une coupe à fruits en vue. Mais le proviseur adjoint avait omis deux ou trois détails, et ces détails rendaient ce cagibi un peu moins reluisant encore.

Le premier de ces détails passés sous silence est que l'endroit fourmillait de petits crabes terrestres, pas plus gros que des pièces de monnaie, qui déambulaient de biais en faisant claquer leurs pinces minuscules. Et quand les enfants, le cœur sombre, s'assirent sur la botte de foin la plus proche, ils eurent la mauvaise surprise de découvrir que ces crustacés n'étaient pas seulement terrestres, c'est-à-dire vivant sur la terre ferme, contrairement à leurs frères marins, mais également territoriaux – terme qui signifie, ici, que ces animaux détestaient l'idée de partager leur territoire avec trois orphelins sans papiers. Ils se massèrent autour du foin en faisant claquer leurs pinces. Par bonheur, ils visaient de travers, et par bonheur aussi leurs pinces étaient si menues qu'elles n'auraient sans doute pas fait plus de mal (ni plus de bien) qu'une bonne pince à épiler. Mais même s'il n'y avait pas danger de mort, l'accueil manquait franchement de chaleur.

Les enfants replièrent leurs jambes sur le foin, hors de portée de crabe, puis ils levèrent les yeux et notèrent un autre détail que Mr Nero avait négligé de mentionner. Une espèce de moisissure s'étalait sur le plafond, une moisissure d'un brun délavé à l'aspect curieusement suintant. Toutes les deux ou trois secondes, une gouttelette d'un liquide suspect se détachait du plafond et tombait ici ou là avec un *plop !* cristallin. Pour éviter ce suc douteux, il fallait sans cesse s'incliner de-ci, de-là, ou rentrer le cou. Pas plus que les petits crabes, ce suintement ne semblait dangereux, mais, de même que les petits crabes, il rendait l'endroit encore un peu moins avenant.

Et pour comble de misère, tout en esquivant

de leur mieux les gouttelettes tombant du plafond, les enfants notèrent un dernier détail, parfaitement inoffensif mais parfaitement offensant : sur les murs de la cabane, badigeonnés d'une teinte fade entre vert chou et vert collège, quelqu'un avait cru bon d'ajouter une éclosion de cœurs rose bonbon. On se serait cru à l'intérieur d'une immense carte de Saint-Valentin et c'était tellement nunuche, tellement écœurant, tellement laid que les enfants aimaient encore mieux poser les yeux sur les petits crabes ou sur les moisissures coulantes que sur ces murs à pleurer.

En résumé, la petite annexe était un lieu à peine digne du stockage de vieilles peaux de bananes et je dois avouer que, pour ma part, si on m'avait dit que j'allais y loger, je me serais jeté sur le foin et j'aurais piqué une belle crise. Mais les orphelins Baudelaire avaient depuis longtemps découvert que piquer une crise, bien qu'assez drôle, n'avance finalement à rien. Aussi, après un long silence accablé, décidèrent-ils d'essayer plutôt de voir le bon côté des choses.

LES DÉSASTREUSES AVENTURES DES ORPHELINS BAUDELAIRE

– On fait plus joli, comme logement, admit Violette pour finir. Mais je suis sûre qu'en cherchant un peu je dois pouvoir inventer un truc pour tenir ces crabes en respect.

– Et moi, dit Klaus, je vais enquêter sur ces moisissures. Peut-être qu'à la bibliothèque je trouverai un truc pour les empêcher de couler.

– Ivogri, assura Prunille, ce qui semblait vouloir dire : « Et moi je parie qu'avec mes dents je dois pouvoir décaper ces petits cœurs écœurants. »

Klaus remercia sa jeune sœur d'une pichenette sur le crâne.

– Et au moins, dit-il, on va aller en classe. Ça commençait à me manquer, moi, une vraie salle de classe et des cours.

– Moi aussi, avoua Violette. Et on va rencontrer des gens de notre âge. Voilà des semaines qu'on n'a eu affaire qu'à des adultes.

– Vronic, ajouta Prunille, autrement dit : « Et m'initier au secrétariat sera pour moi une expérience enrichissante, même s'il est vrai que je serais mieux au jardin d'enfants. »

– Très juste, dit Klaus. Et en plus, qui sait ? Peut-être que cet ordinateur de pointe tiendra vraiment le comte Olaf à l'écart. C'est ça l'important, au fond.

– Absolument, reconnut Violette. N'importe quel endroit *sans* comte Olaf est toujours assez bon pour moi.

– Olo, conclut Prunille, autrement dit : « Même ignoble et suintant et grouillant de petits crabes furieux. »

Les enfants soupirèrent et se turent. On n'entendait rien d'autre que le cliquetis des crabes, le *plop !* des gouttelettes, et les longs soupirs des enfants chaque fois que leur regard, par mégarde, se posait sur les cœurs au mur.

Mais ils avaient beau s'appliquer, ils ne parvenaient pas à faire une taupinière d'une montagne. Ils avaient beau songer au bonheur de se retrouver dans de vraies salles de classe, parmi des enfants de leur âge, ou à la merveilleuse opportunité de découvrir le métier de secrétaire, loger dans ce cagibi leur semblait vingt fois pire que de se tordre dix orteils à la fois.

– Bon, dit Klaus au bout d'un moment. Ça doit être l'heure du déjeuner, non ? Rappelez-vous : si on arrive en retard, plus de verre, plus de bol, plus rien. On ferait sans doute bien de se remuer.

– Ce règlement est complètement crétin ! se révolta Violette avec un saut de côté pour éviter un *plop !* dans le cou. Nous servir à boire en petites flaques, ça leur fait du boulot en plus, non ? Sûrement davantage que le désordre causé par une minute de retard !

– Bien d'accord, dit Klaus. C'est comme cette idée de punir Prunille parce qu'elle ira dans le bâtiment administratif, alors qu'elle sera obligée d'y aller. Ça ne tient pas debout.

– Kalco, fit Prunille en lui tapotant le genou de sa petite main. Autrement dit : « Ne t'en fais donc pas ! Les couverts, tu sais, je m'en sers encore à peine. Ça m'est bien égal de ne pas en avoir. »

Règlement crétin ou non, les orphelins ne tenaient pas à être punis dès le premier jour. Ils ressortirent précautionneusement (et ici *précautionneusement* signifie : « en évitant les petits crabes ») et traversèrent la pelouse roussie. Apparemment, l'heure de sport était terminée ; il n'y avait plus personne dehors. À la vue de ce désert, les enfants pressèrent le pas.

Quelques étés plus tôt – Violette devait avoir dix ans, Klaus huit ans et demi et Prunille moins trois –, la famille Baudelaire avait visité une foire agricole, dans le but d'admirer un cochon qu'un vieil ami présentait à un concours. Le concours du plus beau cochon n'avait guère passionné les enfants, mais un autre concours, sous le chapiteau voisin, les avait fascinés : le concours des plus grandes lasagnes. Les lasagnes qui avaient remporté le ruban bleu, cuisinées par onze nonnes en cornette, formaient un plat aux dimensions d'un matelas pour deux personnes, et semblaient tout aussi moelleuses. Klaus et Violette, alors à un âge impressionnable (*âge impressionnable* signifiant ici : « huit et dix ans respectivement »), avaient conservé de ces lasagnes un souvenir impérissable, bien convaincus que jamais de leur vie ils n'en reverraient d'un format pareil.

Klaus et Violette s'étaient trompés. En entrant dans le réfectoire, la première chose qu'ils virent fut un plat de lasagnes gigantesque, colossal, monumental, aux dimensions d'une piste de danse. Posé sur trépieds, il était si fumant que la serveuse qui découpait les rations portait un masque épais, sans doute en protection contre les vapeurs brûlantes. Les orphelins, un peu éberlués, prirent place au bout de la longue file d'attente. Puis chacun patienta en silence avant de recevoir sa portion sur un hideux plateau en plastique, tendu sans un mot par la serveuse dont on devinait à peine les yeux derrière les trous de son masque.

Nantis de leur ration de lasagnes, les trois enfants suivirent le mouvement avec le reste de la chenille et prirent chacun un peu de scarole dans le saladier voisin, aussi vaste qu'un abreuvoir à veaux. À côté du saladier se dressait un monceau de croûtons à l'ail, flanqué d'une deuxième serveuse également masquée – sans doute contre les vapeurs d'ail – qui tendait leurs couverts aux élèves, du moins à ceux qui n'avaient pas perdu ce privilège.

Les enfants Baudelaire remercièrent la serveuse, qui répondit d'un lent hochement de masque. Puis ils parcoururent des yeux le réfectoire bondé.

Des centaines d'élèves déjà servis occupaient de longues tables rectangulaires. Certains étaient exempts de couverts, sans doute pour avoir mis les pieds dans le bâtiment administratif. D'autres avaient les mains attachées dans le dos, sans doute pour être arrivés en retard en classe. D'autres enfin avaient cet air morose qu'on a lorsqu'on vient de payer un kilo de truffes en chocolat à quelqu'un, et qu'on a regardé ce quelqu'un s'en empiffrer sans en offrir une ; ceux-là, devinaient les orphelins, avaient dû sécher un concert.

Mais ce n'est pas la vue de ces condamnés qui clouait sur place les trois enfants, plateau en main, comme s'ils cherchaient à prendre racine. Plus simplement, ils se demandaient où s'asseoir.

Les réfectoires et cantines sont des lieux déconcertants. Chacun a ses règles et ses rites, et, pour peu qu'on soit nouveau, on ne sait jamais trop où se mettre. En temps ordinaire, les enfants Baudelaire se seraient assis auprès de leurs amis, mais le temps ordinaire n'existait plus et leurs amis étaient loin, bien loin de Prufrock. Parcourant des yeux l'immense réfectoire peuplé d'inconnus, les orphelins se demandaient s'ils trouveraient jamais où poser leurs plateaux hideux. Pour finir, leur regard tomba sur cette petite brune qu'ils avaient croisée sur la pelouse, celle qui leur avait donné un nom étrange. À tout hasard, ils se tournèrent vers elle.

Vous et moi savons, bien sûr, que la brunette n'est autre que Carmelita Spats, petite pimbêche hargneuse, arrogante et revêche, mais les enfants Baudelaire n'avaient pas encore eu l'occasion de l'apprécier. Loin de soupçonner à quelle peste ils avaient affaire, ils firent un pas dans sa direction… et furent immédiatement renseignés.

– C'est pas que vous comptez venir par ici ? leur lança la demoiselle (et sa petite cour approuva d'un murmure). Vous venez de la Bicoque aux orphelins et vous croyez qu'on veut de vous ?

– Oh pardon, bredouilla Klaus, trop poli. Nous ne voulions pas vous déranger.

Carmelita – qui visiblement n'avait jamais mis les pieds dans le bâtiment interdit – empoigna sa fourchette d'une main, son couteau de l'autre, et se mit à frapper en cadence sur son plateau hideux en scandant :

– Les orphelins pifgalettes à la Bicoque aux orphelins ! Les orphelins pifgalettes à la Bicoque aux orphelins !

Presque aussitôt, au grand désarroi des enfants Baudelaire, des dizaines de voix reprirent le slogan en chœur. Comme la plupart des gens arrogants, Carmelita Spats régnait sur une bande de minus qui ne manquaient pas une occasion de persécuter les plus faibles qu'eux – sans doute pour éviter de se faire persécuter eux-mêmes. Au bout de quelques secondes, un tiers du réfectoire battait la mesure en martelant, volume du son poussé à fond :

– Les-or-phe-lins-pif-ga-lettes-à-la-Bi-coque-aux-or-phe-lins ! Les-or-phe-lins-pif-ga-lettes-à-la-Bi-coque-aux-or-phe-lins !

Le petit trio se resserra, cherchant désespérément un coin tranquille où se réfugier et déjeuner en paix.

– Ho ! Carmelita, lança soudain une voix claire par-dessus le brouhaha. C'est pas bientôt fini, ce ramdam ? Tu leur fiches la paix, un peu ?

Les enfants Baudelaire se retournèrent pour voir qui parlait. C'était un garçon aux cheveux sombres et aux grands yeux étincelants, apparemment un peu plus âgé que Klaus et un peu plus jeune que Violette. Pour mieux se faire entendre, il s'était levé de table. Un carnet vert foncé dépassait de la poche de son gros pull de laine.

– La pifgalette, c'est toi, oui, plutôt ! conclut-il, ses yeux de braise braqués sur Carmelita. Franchement, faut être givré pour vouloir s'asseoir avec toi. (Il se tourna vers les enfants Baudelaire.) Venez par ici, il y a de la place.

– Oh merci, murmura Violette soulagée, et elle se dirigea vers la table de leur sauveur, encore à moitié libre.

Le garçon se rassit à côté d'une fille qui était son portrait craché. Elle semblait du même âge que lui et avait les mêmes cheveux sombres, les mêmes grands yeux étincelants, sans parler du carnet qui dépassait de la poche de son pull – à ceci près que son carnet à elle était noir. Une ressemblance aussi criante vous met toujours un peu mal à l'aise, mais ce malaise-là valait cent fois mieux qu'un tête-à-tête avec une pimbêche, et les enfants Baudelaire s'assirent sans hésiter en face des inconnus.

Le fond sonore était revenu à la normale : la cacophonie ordinaire d'un réfectoire de collège à l'heure du repas des fauves.

– Je m'appelle Violette Baudelaire, dit Violette, et je vous présente mon frère, Klaus, et notre petite sœur, Prunille.

– Enchanté, dit le garçon. Moi, c'est Duncan, Duncan Beauxdraps, et je vous présente ma sœur, Isadora. La fille qui vous a crié des injures – et j'en suis désolé –, c'est Carmelita Spats.

– Pas l'air trop aimable, commenta Klaus.

– C'est la litote du siècle, approuva Isadora. Carmelita Spats est une pimbêche. Hargneuse. Arrogante. Revêche. Et teigneuse comme pas deux. Moins vous la verrez, mieux vous vous porterez, croyez-moi.

– Lis-leur le poème que tu as écrit sur elle, dit Duncan à sa sœur.

– Tu écris de la poésie ? s'étonna Klaus.

Il avait lu des poèmes et des tas de choses sur les poètes, mais n'en avait jamais rencontré en chair et en os.

Isadora se fit modeste.

– Oh, juste un peu. Dans ce carnet. C'est une de mes petites passions.

– Safo ! s'écria Prunille, autrement dit : « J'aimerais bien entendre un de tes poèmes ! »

Klaus traduisit pour les Beauxdraps et Isadora sourit. Elle tira son carnet noir de sa poche et l'ouvrit.

– C'est un poème très court. Deux vers seulement.

– Ça s'appelle un distique, se souvint Klaus. J'ai lu ça dans un livre sur l'art poétique.

– Oui, je sais, dit Isadora.

Et elle lut à mi-voix, inclinée en avant afin de préserver un brin d'intimité :

*Plutôt manger du rat à la purée de blattes*
*Que s'asseoir à côté de Carmelita Spats !*

Les enfants Baudelaire pouffèrent, les mains sur la bouche par politesse et par prudence.

– Génial, glissa Klaus. Du rat à la purée de blattes ! J'adore. Enfin, l'idée, je veux dire !

– Merci, murmura Isadora. Tu pourrais me le prêter, un jour, ton livre sur l'art poétique ?

Klaus baissa le nez.

– Malheureusement non. Il appartenait à notre père, et toute sa bibliothèque a brûlé dans un incendie.

Les jeunes Beauxdraps échangèrent un regard, et leurs yeux s'agrandirent encore.

– Ah, dit Duncan. C'est moche. Les incendies, on sait ce que c'est, ma sœur et moi. On en a connu un, terrible. Et… est-ce que votre père aussi a disparu dans cet incendie ?

– Oui, souffla Klaus. Notre père et notre mère. Tous les deux.

Isadora posa sa fourchette et allongea le bras

par-dessus la table pour glisser sa main sur celle de Klaus. En temps ordinaire, le geste aurait embarrassé Klaus, mais dans le cas présent il semblait aller de soi.

– Désolée, murmura-t-elle. Nous aussi, on a perdu nos deux parents dans un incendie. Et ils nous manquent terriblement. C'est dur de se dire qu'on ne les reverra plus, n'est-ce pas ?

– Blôni, reconnut Prunille.

– Et moi, avoua Duncan, pendant très longtemps, j'ai eu une sainte terreur du feu. De n'importe quel feu. Peur des allumettes. Des réchauds.

Violette sourit.

– Nous avons habité chez une dame, pendant un temps – c'était notre tante Agrippine[1] –, qui avait une sainte terreur des réchauds. Elle avait peur qu'ils explosent.

– Qu'ils explosent ? s'écria Duncan. Même moi, je n'ai jamais eu peur de ça ! Et pourquoi n'habitez-vous plus chez votre tante Agrippine ?

---

1. Lire *Ouragan sur le lac*, tome III.

Ce fut au tour de Violette de piquer du nez vers son assiette, et à Duncan d'allonger le bras pour poser la main sur la sienne.

– Elle aussi a disparu, expliqua Violette. Pour être franche, depuis des mois, notre vie est complètement sens dessus dessous.

– Ça doit être dur, dit Duncan. J'aimerais bien pouvoir vous promettre qu'ici les choses vont s'arranger. Mais entre Néron qui joue du violon et Carmelita Spats qui joue les vipères, sans parler de la Bicoque aux orphelins, on ne peut pas dire que Prufrock soit précisément le paradis.

– Bicoque aux orphelins, marmonna Klaus. Quel nom infâme ! C'est bien assez détestable d'y loger, pas besoin d'y rajouter un nom insultant.

– Oh ! ça, dit Isadora, c'est une trouvaille de Carmelita, encore elle. Duncan et moi, on y a logé, nous aussi, dans cette baraque. Pendant trois semestres ! Tout ça parce que, pour l'internat, il fallait la signature d'un parent ou d'un tuteur, et qu'on n'avait ni l'un ni l'autre.

– Comme nous ! s'écria Violette. Et quand on a demandé à Mr Nero de faire une exception…

– Néron ? coupa Isadora. Je le sais, ce qu'il a répondu : qu'il avait autre chose à faire, et d'abord jouer du violon. On connaît. C'est ce qu'il dit toujours ! Enfin bref, du temps où on y logeait, Carmelita a eu cette trouvaille, la Bicoque aux orphelins. Et elle y tient, c'est clair.

Violette ravala un soupir.

– Bah ! elle peut bien l'appeler comme elle veut. S'il n'y avait que ça ! Au fait, les petits crabes, quand vous y logiez, ils étaient déjà là ? Qu'est-ce que vous faisiez, vous, pour qu'ils vous fichent la paix ?

Duncan lui lâcha la main et ouvrit son carnet.

– Je note toujours tout là-dedans. Voyons… Petits crabes… Ah oui. Ils ont horreur des bruits forts. Surtout les bruits grinçants. J'ai ici la liste de tout ce que nous faisions pour les mettre en fuite.

– Horreur des bruits grinçants, répéta Violette.

Et, tirant un ruban de sa poche, elle attacha ses cheveux pour se dégager le front.

– Quand elle noue ses cheveux comme ça, expliqua Klaus aux enfants Beauxdraps, c'est qu'elle est en train d'inventer quelque chose. Ma sœur est une sacrée inventrice.

– Pourquoi pas des patins à bruit ? suggéra Violette soudain. Un peu comme des patins pour ne pas salir les parquets, sauf que, par-dessous, on calerait des petits morceaux de métal ? Comme ça, au moindre pas, ça ferait des grincements horribles. Je parie que ces damnés crabes oseraient à peine sortir de leurs trous.

– Des patins à bruit ! s'écria Duncan. Dire que, pendant des mois, on a habité cette baraque et que pas une fois on n'a pensé à se faire des patins à bruit ! (Il pêcha un crayon au fond de sa poche, inscrivit *patins à bruit* dans son carnet vert et tourna la page.) Ah, j'oubliais ! J'ai ici une liste des bouquins sur les moisissures qu'on peut trouver à la bibli, si vous voulez lutter contre cette saleté marron au plafond.

– Zatoual ! fit Prunille avec conviction.

– Oui, tu as raison : il faudra qu'on y aille, à

cette bibliothèque, traduisit Violette. Une chance qu'on vous ait rencontrés, les jumeaux.

Duncan et Isadora se rembrunirent. Klaus s'alarma :

– Qu'est-ce qu'il y a ? Qu'est-ce qu'on a dit qu'on n'aurait pas dû dire ?

– *Jumeaux*, souffla Duncan, si bas qu'on l'entendait à peine.

– Mais vous êtes bien jumeaux, non ? dit Violette. Vous vous ressemblez tellement !

– On est des triplés, murmura Isadora, le front bas.

– Je ne… Je ne comprends plus, dit Violette. Les triplés, c'est bien *trois* enfants nés à la fois ?

– On *était* trois nés à la fois, expliqua Isadora. Mais notre frère Petipa a péri dans le même incendie que nos parents.

– Oh ! pardon, balbutia Klaus. Désolé. Euh… Pardonnez-nous de vous avoir traités de jumeaux. Ce n'était pas pour insulter la mémoire de Petipa…

– Bien sûr que non, le rassura Duncan avec un pâle sourire. Vous ne pouviez pas savoir. Bon, si vous en avez terminé de vos lasagnes, venez, on va vous montrer la bibliothèque.

– Et on pourra peut-être aussi trouver des petits morceaux de ferraille pour ces patins à potin ? suggéra Isadora.

D'un commun accord, les cinq enfants allèrent déposer leurs plateaux sur la desserte et ressortirent dans la cour.

La bibliothèque Prufrock se révéla un pur bonheur. Je ne décrirai pas les chaises rembourrées, ni les longs rayonnages cirés, ni le merveilleux silence, car ce n'est pas ce qui fit la joie des enfants Baudelaire dans cette salle. Je ne dirai pas un mot non plus des lampes de cuivre en forme de poissons variés, ni des rideaux bleu pâle que la brise faisait ondoyer aux fenêtres, car ces merveilles n'étaient pour rien dans la mine radieuse du trio. Les deux jeunes Beauxdraps rayonnaient aussi, et, sans les connaître aussi bien que les orphelins Baudelaire, je crois pouvoir dire qu'ils avaient la même raison d'être heureux.

Il est toujours réconfortant, dans les moments difficiles, de découvrir de vrais amis, et c'est cette joie-là qui réchauffait le cœur des cinq enfants tandis qu'Isadora et Duncan faisaient à Violette, Klaus et Prunille les honneurs de la bibliothèque. Les amis ont ce pouvoir étrange de vous donner l'impression que le monde est plus petit et moins fourbe. C'est l'effet magique de se retrouver auprès de gens qui ont vécu des expériences proches des vôtres – des gens qui, par exemple, ont perdu des êtres chers dans un terrible incendie, ou qui ont logé avant vous dans une Bicoque aux orphelins.

Tandis que les jeunes Beauxdraps expliquaient tout bas l'agencement de la bibliothèque, les jeunes Baudelaire sentaient se desserrer l'angoisse que leur inspirait le pensionnat. Et lorsque Isadora et Duncan en vinrent à conseiller leurs livres favoris, Violette, Klaus et Prunille se prirent à songer que peut-être – sait-on jamais ? – le plus dur était derrière eux.

Las ! sur ce point, ils se trompaient, mais pour l'heure cela n'avait aucune importance. Les enfants Baudelaire s'étaient découvert des amis et là, dans la bibliothèque Prufrock, en compagnie des triplés Beauxdraps, le monde semblait plus petit et plus sûr qu'il ne l'avait été depuis des mois.

Chapitre IV

**S**i vous êtes allé au musée un jour – qu'on vous y ait traîné de force ou que vous y soyez entré de vous-même, pour échapper à la canicule ou à la police –, peut-être avez-vous remarqué ce type de tableau qu'on nomme un *triptyque*.

Un triptyque se compose de trois panneaux, et sur chacun de ces panneaux est peinte une scène différente. Par exemple, mon ami le professeur Reed a réalisé un triptyque pour moi. Sur l'un des panneaux on voit du feu, sur l'autre une machine à écrire, sur le troisième le portrait d'une femme à la fois intelligente et belle. Ce triptyque s'intitule *Le Destin de Beatrice*, et je ne peux y poser les yeux sans fondre en larmes.

Je suis écrivain et non peintre. Mais si je devais peindre un triptyque intitulé *Les Tristes Aventures des orphelins Baudelaire à l'Institut J. Alfred Prufrock*, je peindrais Mr Remora sur un panneau, Mme Alose sur un autre, une boîte d'agrafes sur le troisième, et l'effet produit serait si triste que, tel que je me connais, entre le triptyque *Beatrice* et le triptyque *Baudelaire*, je pleurerais du matin au soir.

Mr Remora était le professeur de Violette, un professeur si abominable que chaque matin Violette hésitait. Franchement, que valait-il mieux ? Passer la matinée entière dans la Bicoque aux orphelins et prendre ses repas les mains dans le dos, ou se traîner salle 1 et suivre les cours d'un monstre pareil ?

Mr Remora portait la moustache, une grosse moustache pareille à un pouce de gorille, et, tel un gorille, il n'arrêtait pas de dévorer des bananes. La banane est un fruit exquis, que sa richesse en potassium rend excellent pour la santé. Mais après avoir vu, des heures durant, Mr Remora engloutir banane sur banane, se tartiner la moustache de banane et laisser traîner des peaux de banane, Violette ne pouvait plus voir les bananes en peinture.

Entre deux bouchées de banane, Mr Remora dictait des histoires que ses élèves étaient censés noter dans leurs cahiers, et de temps à autre il les interrogeait sur ces histoires. C'étaient toujours des histoires très courtes, sur tous les sujets imaginables. « Un matin, je suis allé au supermarché acheter un carton de lait », dictait Mr Remora, la bouche pleine de banane. « De retour à la maison, je me suis servi un verre de lait et je l'ai bu. Puis j'ai regardé la télévision. Fin. » Ou bien : « Un après-midi, un homme du nom d'Edgar se mit au volant d'un camion vert et prit la route. Il arriva à une ferme. Dans cette ferme, on élevait des vaches et des oies. Fin. »

Mr Remora débitait histoire sur histoire, il ingurgitait banane sur banane, et Violette avait du mal à se concentrer. Par bonheur, elle avait à sa droite Duncan Beauxdraps et, les jours d'ennui mortel, Violette et lui échangeaient des petits billets. Par malheur, elle avait derrière elle Carmelita Spats, et toutes les cinq ou six minutes Carmelita plantait son double décimètre dans le dos de Violette. « Orpheline », chuchotait-elle en lui enfonçant l'arme entre les omoplates. « Orpheline. » Et Violette en oubliait de noter un détail du récit de Mr Remora.

De l'autre côté du couloir, en salle 2, régnait Mme Alose, que sa crinière en bataille faisait aussi ressembler, quoique d'assez loin, à un gorille. Mme Alose avait une passion, pour ne pas dire une obsession : le système métrique, qu'elle chérissait au-delà de toute mesure.

Le système métrique, vous le savez sans doute, est le système – d'origine française – par lequel l'immense majorité de la planète mesure toutes choses. De même qu'il est parfaitement normal de manger une banane de temps en temps, de même est-il parfaitement normal de souhaiter mesurer les objets en mètres et en centimètres. Klaus se souvenait qu'un jour de pluie, vers l'âge de neuf ans, il avait passé l'après-midi à mesurer toutes les portes de la grande demeure familiale. Mais Mme Alose, qu'il pleuve ou qu'il vente, ne voulait, ne savait faire qu'une chose : mesurer tout et n'importe quoi, et inscrire au tableau noir les dimensions ainsi trouvées.

Tous les matins, elle arrivait en classe munie d'un grand sac plein d'objets variés – poêle à frire, trombone à coulisse, squelette de chat – et elle déposait un objet sur le pupitre de chaque élève en ordonnant : « Mesurez ! » Chacun sortait son double décimètre pour mesurer ce qu'il avait sous le nez, puis énonçait ses résultats à voix haute. Mme Alose les consignait au tableau, après quoi elle ordonnait l'échange des objets d'un pupitre à l'autre. La classe se poursuivait ainsi toute la matinée et Klaus finissait par mourir d'ennui, façon de mourir par bonheur passagère, dont on se remet illico sitôt disparue la source d'ennui. À l'autre bout de la classe, Isadora Beauxdraps mourait d'ennui aussi et, chaque fois que leurs regards se croisaient, tous deux se tiraient la langue pour échanger des messages en morse, du style : « *Palpitant. C'est fou ce qu'on s'amuse.* »

Quant à Prunille, faute de jardin d'enfants, elle travaillait dans le bâtiment administratif, et je dois dire que son sort était encore le moins enviable du trio. En tant que secrétaire du proviseur adjoint, Prunille était censée accomplir des tâches rarement assignées à un tout-petit. Par exemple, elle devait répondre au téléphone, mais la plupart des correspondants du proviseur adjoint ignoraient que « Seltépia ! » signifiait, en langue prunillienne : « Bureau du proviseur adjoint, bonjour ! Que puis-je pour vous ? » Dès le lendemain de sa prise de fonctions, Prunille avait provoqué une telle pagaille que Mr Nero était furieux.

Mieux, elle était censée taper à la machine, agrafer, mettre sous enveloppe et affranchir tout le courrier du proviseur adjoint. Autrement dit, elle devait manipuler une antique machine à écrire, une agrafeuse lourde en diable et un assortiment de timbres-poste, le tout conçu pour l'utilisateur adulte. Certes, contrairement à la plupart des bébés, Prunille avait déjà une certaine expérience des tâches rudes : après tout, avec ses aînés, elle avait travaillé un temps à la scierie Fleurbon-Laubaine[1]. Mais le matériel fourni ne convenait guère à ses petits doigts. Tout juste si elle parvenait à ébranler les touches de la machine à écrire, et, même lorsqu'elle y arrivait, elle avait peine à orthographier les mots dictés par Mr Nero. La grosse agrafeuse non plus n'était pas d'un maniement commode, si bien que Prunille, il faut l'avouer, massacrait beaucoup d'agrafes. De temps en temps, elle s'agrafait les doigts par mégarde, ce qui n'a jamais fait de bien à personne. Enfin, de loin en loin, un timbre se collait sur sa langue et refusait de se décoller.

------

1. Lire *Cauchemar à la scierie*, tome IV.

Dans la plupart des écoles, y compris les plus exécrables, les élèves ont au moins la chance de souffler une fois par semaine – le dimanche, et parfois le samedi ou le mercredi. En ces jours bénis, pas de cours. Libre à chacun de traîner au lit ou de jouer vingt-quatre heures sur vingt-quatre. Comme on peut l'imaginer, il tardait aux enfants Baudelaire d'oublier un peu les bananes, les agrafeuses et les centimètres. Aussi furent-ils affreusement déçus lorsque, à la fin de la première semaine, Isadora et Duncan leur apprirent qu'à Prufrock on ignorait le sens du mot week-end. Les samedis et les dimanches étaient jours de classe ordinaires, tout comme le restant de la semaine. La règle, leur avait-on dit, s'accordait à la devise de l'établissement.

Comme tant d'autres règles à Prufrock, celle-là marchait sur la tête. Se souvenir qu'on va mourir peut se faire en flânant tout aussi bien qu'en se morfondant sur les bancs de l'école. Mais bon, il en était ainsi. Du coup, les enfants Baudelaire ne savaient plus quel jour on était, tant les jours se suivaient et se ressemblaient tous.

Du même coup, je serais incapable de dire quel jour au juste Prunille s'avisa que la réserve d'agrafes tendait dangereusement vers zéro. En revanche, je peux affirmer que Mr Nero s'emporta, et lui dit que c'était tant pis pour elle, qu'elle les avait gaspillées, qu'il n'en achèterait pas de neuves. Elle n'avait qu'à en fabriquer elle-même, avec de petits bouts de fil de fer qu'il avait dans un tiroir.

– Mais c'est complètement débile ! se récria Violette lorsque sa petite sœur lui apprit la dernière lubie du proviseur adjoint. Franchement, pour ce que ça coûte, des agrafes !

C'était juste après le repas du soir. Les trois jeunes Baudelaire étaient dans leur antre, en compagnie des deux jeunes Beauxdraps, tous les cinq fort occupés à lancer du sel sur les moisissures du plafond. Avec de petits bouts de ferraille trouvés derrière les cuisines, Violette avait confectionné cinq paires de patins à bruit, sortes de semelles à crampons de fer-blanc qui grinçaient de façon sublime : trois pour son frère, sa sœur et elle, et deux pour Isadora et Duncan, aux heures de visite. Le problème des moisissures coulantes, en revanche, restait à résoudre. Avec l'aide de Duncan, Klaus avait déniché à la bibliothèque un livre intitulé *Moisissures et maladies fongiques*, et il y avait lu que ce champignon – si du moins c'était bien lui, *Trucmachinchouettus vulgaris* – était censé se ratatiner et se dessécher sous l'effet du sel. Le jour même, à la cantine, les Beauxdraps avaient détourné l'attention des serveuses en renversant leurs plateaux lors d'une fausse collision, et les Baudelaire en avaient profité pour subtiliser trois salières. À présent, entre dîner et concert, les enfants s'efforçaient de saler le plafond tout en discutant des nouvelles du jour.

– Débile ? s'étrangla Klaus. De la folie furieuse, oui ! Déjà, Prunille en secrétaire, c'est grotesque. Mais fabriquer des agrafes ? Jamais rien entendu d'aussi dément.

– Les agrafes, sauf erreur, ça se fabrique en usine, dit Duncan, posant sa salière pour rechercher dans son carnet vert d'éventuelles notes sur le sujet. Je parie que plus personne ne fabrique ses agrafes depuis le XVe siècle au moins.

– Tu sais quoi, Prunille ? dit Isadora. Tu devrais essayer de nous filer en douce un stock de ces bouts de fil de fer. Tès agrafes, on les fabriquerait ensemble, chaque fois qu'on aurait un moment. À cinq, ça irait plus vite et ce serait moins casse-pieds. Oh ! en parlant de casse-pieds. Je compose un poème sur le comte Olaf, mais j'ai du mal à trouver des mots assez horribles pour lui.

– Sans compter qu'il n'y a pas des tonnes de mots qui riment avec « Olaf », fit remarquer Violette.

– Non, reconnut Isadora. Jusqu'ici, tout ce que j'ai trouvé, c'est « pilaf », une recette pour faire cuire le riz. Et ce n'est même pas une rime riche.

– Peut-être qu'un jour tu pourras le publier, ce poème sur le comte Olaf ? dit Klaus plein d'espoir. Comme ça, tout le monde saura quel horrible bonhomme il est !

– Et moi, j'écrirai un reportage sur lui, proposa Duncan.

– Moi, dit Violette, je pense que je devrais pouvoir fabriquer une presse typographique. Peut-être que, quand je serai majeure, j'utiliserai un peu de la fortune Baudelaire pour acheter les matériaux.

– On pourrait imprimer des *livres*, aussi ? demanda Klaus.

Violette sourit. Elle devinait le rêve de son frère : toute une bibliothèque imprimée de leurs mains.

– Bien sûr, dit-elle. Imprimer des journaux ou imprimer des livres, tu sais, c'est à peu près pareil.

Mais Duncan levait les sourcils.

– La fortune Baudelaire ? Vos parents vous ont laissé une fortune, à vous aussi ? Nous, les nôtres étaient les propriétaires des fameux saphirs Beauxdraps, que le feu a laissés intacts. À notre majorité, ces joyaux nous reviendront. Avec les sous, nous pourrions lancer ensemble notre entreprise d'imprimerie.

– Génial ! s'enthousiasma Violette. Et on appellerait ça les Presses Beauxdraps-Baudelaire !

– *Et on appellerait ça les presses Beauxdraps-Baudelaire !* singea une voix railleuse qui les fit sursauter tous les cinq.

De stupeur, ils lâchèrent leurs salières. Celles-ci roulèrent au sol, aussitôt interceptées par les crabes qui se hâtèrent de les emporter dans leurs trous, sans laisser au visiteur le temps d'en apercevoir une seule.

– Navré de vous déranger au milieu d'un rendez-vous d'affaires, déclara Mr Nero. Mais notre nouveau professeur de sports vient d'arriver, et il tient à rencontrer la population orpheline du collège avant le début de mon concert. Il semblerait que les orphelins aient quelque chose de spécial, une excellente ossature ou je ne sais quoi de ce genre. C'est bien ce que vous venez de m'expliquer, Mr Gengis ?

– Oui, oui, absolument, répondit un grand diable efflanqué en s'encadrant dans l'embrasure de la porte.

En plus d'un survêtement passe-partout (l'uniforme de la profession), il arborait des baskets

LES DÉSASTREUSES AVENTURES DES ORPHELINS BAUDELAIRE

flambant neuves, les Rolls-Royce des baskets, d'un modèle qui tenait bien la cheville, et à son cou pendait un sifflet étincelant, autre accessoire classique du métier. Nettement moins classique était le turban qui lui empaquetait le crâne, rehaussé d'un rubis rutilant, vrai ou faux.

Il existe diverses raisons de se coiffer d'un turban. On peut le porter par tradition, ou parce que la religion l'exige, ou pour se protéger du soleil, ou pour éviter le rhume après un shampooing, ou encore pour amortir les coups de sabre. Mais Violette, Klaus et Prunille n'eurent pas à y regarder à deux fois pour deviner que l'arrivant portait le turban pour une raison toute différente.

– Absolument, répéta le nouveau venu. Absolument. C'est un trait inné fréquent chez les orphelins. Ils sont surdoués pour la course. Ils ont des jambes faites pour courir ; de vraies pattes d'autruche. Voilà pourquoi il me tardait d'observer les spécimens qui m'attendaient dans ce beau collège.

– Les enfants, ordonna Mr Nero, levez-vous et venez saluer votre nouveau professeur.

Les enfants Beauxdraps s'avancèrent.

– Bonjour, Mr Gengis, dit Duncan.

– Bonjour, Mr Gengis, dit Isadora.

Ils serrèrent la main osseuse qui se tendait, puis se retournèrent vers le trio Baudelaire. Pourquoi diable leurs nouveaux amis restaient-ils assis sur le foin, au lieu d'obéir au proviseur adjoint et aux règles de la plus élémentaire politesse ?

Si j'avais été là-bas, pour ma part, je n'aurais certes pas été surpris. Et je parie que vous ne l'êtes pas non plus. Car vous avez sûrement deviné, comme l'avaient deviné les orphelins Baudelaire, pourquoi le dénommé Gengis était affublé d'un turban.

Un turban masque la chevelure, ce qui modifie nettement l'apparence de la personne qui le porte. Si, de surcroît, le turban descend bas sur le front, ce qui était le cas de celui-là, il masque également les sourcils – ou plutôt le sourcil, pour ce qui est de la personne en question. Mais en aucun cas il ne saurait masquer l'éclat de petits yeux chafouins, ni la mine vorace d'un scélérat qui dévore du regard trois enfants sans défense.

Les dons des orphelins pour la course étaient une absurdité, bien sûr. On naît doué pour la course, on naît rarement orphelin. Pourtant, à cet instant précis, Violette, Klaus et Prunille Baudelaire n'auraient pas demandé mieux que d'y croire. Des pattes d'autruche ? Quoi de plus précieux pour détaler au loin – loin de cet inconnu au turban qu'ils ne connaissaient que trop bien ?

Chapitre V

L'expression « comme deux ronds de flan » a de quoi laisser perplexe. Être ou rester comme deux ronds de flan, c'est être stupéfait ; renversé ; sans voix ; médusé. Que le flan ait sa place ici, passe encore. Après tout, le flan est bien une sorte de crème renversée, sans voix, à vague consistance de méduse. Admettons, mais pourquoi rond ? Le flan peut prendre toutes les formes ! Et surtout, pourquoi deux ? Comment fait-on, à soi tout seul, pour ressembler à *deux* ronds de flan ?

Cela dit, l'expression décrit très bien Klaus et Prunille – deux monticules tremblotants, le dos rond, collés sur place – lorsque Violette, sans crier gare, se leva et tendit la main en disant :

– Bonjour, Mr Gengis. Ravie de vous rencontrer.

Éberlués, ses cadets se demandaient si elle perdait la tête. N'avait-elle donc pas reconnu le comte Olaf ? Pourquoi ne prévenait-elle pas Mr Nero ? Un bref instant, Klaus et Prunille crurent leur aînée hypnotisée, comme l'avait été Klaus, peu auparavant, à La Falote[1]. Mais Violette n'ouvrait pas des yeux immenses comme des soucoupes, et elle ne parlait pas non plus de cette voix ensommeillée qui avait été celle de Klaus sous hypnose.

Malgré tout, Klaus et Prunille vouaient à leur aînée une confiance aveugle. Elle avait sauvé la

---

1. Lire *Cauchemar à la scierie*, tome IV.

situation dans tant de circonstances tragiques, déjà ! Aussi, bien qu'abasourdis, Klaus et Prunille se dirent-ils que Violette avait sans doute une bonne raison de saluer poliment le comte Olaf au lieu de le dénoncer sur-le-champ. Après une seconde d'hésitation, ils imitèrent leur aînée.

– Enchanté, salua Klaus d'un ton cordial.

– Gelfidio, assura Prunille de sa petite voix acidulée.

– Ravi de vous rencontrer, répondit le prétendu Gengis avec un petit sourire en coin.

À l'évidence, il jubilait de les rouler avec tant de succès.

– Alors, Mr Gengis ? s'enquit le proviseur adjoint. Qu'en pensez-vous, de nos orphelins ? Y en a-t-il un dont les jambes soient à la hauteur de vos espérances ?

L'intéressé se gratta le turban et inspecta les cinq enfants comme un assortiment de petits-fours.

– Hmmm, voyons voir, dit-il de cette voix à la fois râpeuse et doucereuse que les enfants entendaient dans leurs cauchemars.

Il fit mine d'hésiter, puis, de sa main osseuse, il désigna Violette… Klaus… Prunille, et conclut :

– Ces trois-là correspondent tout à fait à ce que je recherche. Ces jumeaux, en revanche, je n'en ai rien à faire.

– Ces deux-là ? Moi non plus, répondit Mr Nero, sans même préciser qu'il s'agissait de triplés. (Il jeta un coup d'œil à sa montre.) Et maintenant, c'est l'heure de mon récital. Venez, vous autres. Tout le monde à l'auditorium. À moins bien sûr que vous ne préfériez me payer un kilo de truffes en chocolat.

Les enfants Baudelaire espéraient bien ne jamais rien lui payer, et surtout pas des truffes en chocolat, dont ils raffolaient mais n'avaient pas vu la couleur depuis des mois. Aussi suivirent-ils le proviseur adjoint sans broncher, aux côtés de leurs amis Beauxdraps.

– Ce soir, annonça Mr Nero chemin faisant, je joue une sonate de ma composition. Comme elle dure à peine une demi-heure, je la jouerai douze fois de suite.

– Oh ! quel bonheur, dit Mr Gengis. Je dois avouer, M. le Proviseur adjoint, que j'apprécie énormément votre talent. Vos concerts sont l'une des grandes raisons qui m'ont conduit à demander ce poste à Prufrock.

– Vous m'honorez, glapit Mr Nero. Il y a si peu de gens capables d'apprécier le génie !

– À qui le dites-vous ! Je sais la solitude qu'on éprouve. Moi-même, voyez-vous, je suis le plus grand entraîneur sportif de ce temps, et pourtant jamais, jamais je n'ai reçu le moindre hommage.

– Le monde est fou, murmura le proviseur adjoint, hochant la tête.

Derrière ces deux plastronneurs, les enfants échangeaient des regards écœurés, mais ils ne soufflèrent mot jusqu'à l'auditorium, où ils s'empressèrent de prendre place aussi loin que possible de Carmelita Spats et sa clique.

Il est un avantage, un seul, à avoir affaire à quelqu'un qui ne sait pas jouer du violon mais en joue quand même : sauf exception, ce quelqu'un joue si fort qu'il est incapable de se rendre compte si son auditoire papote ou non. Il est bien sûr très impoli de papoter pendant un concert, mais, quand le concert est abominable et qu'il dure six heures d'affilée, l'impolitesse a des excuses. Ce fut le cas ce soir-là, lorsque, après un petit speech à sa propre gloire, Mr Nero se lança dans la première exécution de sa sonate.

Quand on écoute de la musique, un jeu amusant consiste à imaginer ce qui a pu inspirer le morceau. Telle symphonie, par exemple, évoque les arbres, les chants d'oiseaux ; on la devine inspirée de la nature. Tel concerto fait songer si fort aux bruits de la rue qu'on le devine inspiré de la ville. La sonate de ce soir-là s'inspirait clairement des pro- testations d'un chat scandalisé, et les grincements du violon camouflaient si bien les conversations que nul ne se gênait pour bavarder, sauf peut-être au premier rang. Dès que l'archet du proviseur adjoint se mit à jouer les scies, les langues se délièrent allègrement. Même Mme Alose et Mr Remora, chargés de relever les noms des absents, pouffaient de bon cœur au fond de la salle en partageant une banane. Seul Mr Gengis, assis au premier rang, semblait se pénétrer de la musique.

– Le nouveau prof de gym a une tête de faux jeton, glissa Isadora aux autres.

– Bien d'accord, approuva Duncan. Avec ces yeux chafouins qui vous regardent en coin…

– Ces yeux chafouins qui vous regardent en coin, dit Violette (non sans un regard en coin du côté de l'intéressé), ils ont une bonne raison de nous regarder en coin. Parce qu'en réalité ça n'est pas Mr Gengis du tout. Ça n'est même pas un prof de gym. En réalité, c'est le comte Olaf déguisé.

– Je le savais, que tu l'avais reconnu ! triompha Klaus à mi-voix.

– Le comte Olaf ? répéta Duncan. Mais c'est horrible ! Comment a-t-il fait pour vous retrouver ici ?

– Stiouc, fit Prunille, lugubre.

– Elle dit : « Il nous suit partout », traduisit Violette. Et c'est la vérité. Mais peu importe *comment* il a fait. L'important, c'est que, malheureusement, il l'a fait ; et qu'il mijote un sale coup pour s'emparer de notre héritage.

Klaus suivait son idée :

– Mais pourquoi faire semblant de ne pas le reconnaître ?

– Oui, pourquoi ? s'étonna Isadora. Si tu avais dit à Néron qui c'était, Néron l'aurait flanqué dehors, ce pifgalette, si tu permets l'expression.

– Bien sûr que je permets, dit Violette. Malheureusement, prévenir Mr Ner... euh, Néron, ça n'aurait servi à rien. Olaf Face-de-rat est bien trop malin. Il aurait trouvé une entourloupe pour se tirer de l'eau sans se mouiller. Comme toujours. Comme avec oncle Monty[1], avec tante Agrippine, avec tout le monde.

– Hmm, réfléchit Klaus. Pas faux. Sans compter que lui faire croire qu'on est dupes, ça nous laisse du temps pour démêler ce qu'il cherche à faire.

– Lirtog ! fit Prunille.

– Ma sœur dit qu'on devrait essayer de

---

1. Lire *Le Laboratoire aux serpents*, tome II.

voir s'il est tout seul, cette fois, interpréta Violette, ou s'il a fait venir un ou deux de ses complices. Bien vu, Prunille. Je n'y pensais pas.

Isadora ouvrit de grands yeux.

– Parce qu'il a des complices, en plus ? C'est le bouquet. Il n'est peut-être pas assez infâme à lui tout seul ?

– Il l'est, dit Klaus, mais ses complices le sont autant que lui. Il y a deux bonnes femmes toutes poudrées, qui nous ont forcés à jouer dans sa pièce[1] ; un grand escogriffe avec des crochets à la place des mains…

– Héguinou, ajouta Prunille, autrement dit : « Et une créature grosse comme une montagne, qui n'a l'air d'être ni homme ni femme. »

Duncan sortit crayon et carnet.

– Héguinou, ça veut dire quoi, s'il vous plaît ? Que je note tous ces détails concernant Olaf et sa troupe.

– Mais pourquoi veux-tu… commença Violette.

---

1. Lire *Tout commence mal…*, tome I.

– Pourquoi ? coupa Isadora. Pour vous venir en aide, pardi ! Tu nous vois nous tourner les pouces et vous laisser seuls face à ce monstre ?

– Mais il est très dangereux, tu sais, prévint Klaus. En essayant de nous aider, vous mettez vos vies en péril.

– Et alors ? fit Duncan. Tu crois qu'on va se tracasser pour ça ?

Hélas, je suis au regret de le dire, les deux triplés Beauxdraps auraient beaucoup mieux fait de se tracasser un peu. En décidant de prêter main-forte à leurs amis, Isadora et Duncan faisaient preuve de bravoure à coup sûr. Mais bien souvent la bravoure a un prix. Et pas seulement un coût, en dollars ou en euros ; non, un prix autrement plus élevé – si élevé, si vertigineux, dans le cas des enfants Beauxdraps, qu'il m'est interdit d'en parler déjà.

Revenons donc plutôt à la séquence en cours.

– Tu crois qu'on va se tracasser pour ça ? dit Duncan. Non, ce qu'il nous faut, c'est un plan solide. Récapitulons. Le but est de prouver à

Néron que Gengis est le comte Olaf, d'accord ?
La question est donc : comment nous y prendre ?

– Néron a cet ordinateur, murmura Violette
pensive. Il nous a montré un petit portrait d'Olaf
sur l'écran, vous vous souvenez ?

– Oui, dit Klaus. Même qu'il nous a assuré
qu'avec ça, Olaf ne risquait pas de se pointer. Tu
parles ! Zéro pour l'informatique de pointe.

– Glips ! fit Prunille, et Violette la prit sur ses
genoux.

Le violon venait d'aborder un passage particulièrement strident, et les enfants rapprochèrent
leurs têtes pour continuer à s'entendre.

– L'idéal serait d'aller voir Néron demain matin
très tôt, reprit Violette. Sitôt levés. Pour lui parler
en tête à tête. On lui demandera de se servir de
son ordinateur. Pas sûr qu'il nous croie, bien sûr.
Mais il faudrait au moins le convaincre d'enquêter
sur ce Gengis.

– Peut-être qu'il l'obligera à enlever son turban, dit Isadora. Comme ça, il verra le sourcil
unique.

– Ou à retirer ses superbaskets, suggéra Klaus. Comme ça, il verra le tatouage.

– L'ennui, rappela Duncan, c'est que si vous mettez Néron au courant, Gengis saura que vous n'êtes pas dupes, finalement.

– Bien pour ça qu'il faut y aller tôt, dit Violette. Pour le battre de vitesse.

– En tout cas, pendant ce temps-là, on mènera notre enquête, Isadora et moi. Par exemple en essayant de repérer un de ces complices que vous venez de décrire.

– Ce serait rudement utile, dit Violette. Du moins si vous êtes certains que vous tenez à nous aider.

Duncan lui tapota la main.

– Plus un mot là-dessus.

Plus un mot là-dessus ne fut dit, en effet, jusqu'à la fin de la sonate, et pas davantage lorsque le violoniste s'y attaqua une deuxième fois, puis une troisième, puis une quatrième, puis une cinquième, puis une sixième…

Et plus la soirée avançait, plus le simple fait d'être ensemble suffisait au bonheur des enfants

– du moins si l'on peut parler de bonheur lorsqu'on a les oreilles écorchées par une odieuse sonate pour violon rejouée six fois d'affilée, et qu'on se trouve dans une odieuse pension, non loin d'un odieux personnage dont on sait pertinemment qu'il trame quelque chose d'odieux. Mais, dans la vie des orphelins Baudelaire, le bonheur, toujours rare et bref, surgissait à des moments incongrus, et ils avaient appris à le prendre comme il venait.

Duncan oublia sa main sur celle de Violette tout en lui parlant de concerts horribles auxquels les avaient traînés leurs parents, et elle fut ravie de l'écouter. Isadora se lança dans la composition d'un poème en l'honneur des bibliothèques, et elle le montra à Klaus qui fut ravi de lui faire quelques critiques constructives. Quant à Prunille, lovée sur les genoux de son aînée, elle rongeait avec ardeur le bras du fauteuil, ravie d'avoir sous la dent quelque chose d'aussi coriace.

Vous savez comme moi – puisque je vous l'ai dit – que le ciel ne va pas tarder à se gâter au-dessus des orphelins Baudelaire. Mais pour l'heure oublions tout ; oublions la sonate atroce, les professeurs indescriptibles, les Carmelita Spats et consorts, et surtout les tourmentes annoncées. Faisons durer cet instant de douceur, cet instant où les enfants Baudelaire savourent la compagnie des enfants Beauxdraps et vice versa – et, dans le cas de Prunille, la compagnie d'un bras de fauteuil. Goûtons, en cette fin de chapitre, la dernière parenthèse heureuse offerte à ces cinq orphelins avant très, très, très longtemps.

Chapitre VI

L'Institut J. Alfred Prufrock est aujourd'hui fermé. Il a fermé voilà des années, après que Mme Alose a été arrêtée pour braquage de banque, et si vous le visitiez aujourd'hui vous le trouveriez désert. En traversant la pelouse roussie, vous ne verriez pas un chat, au lieu de la fourmilière qui accueillit les enfants Baudelaire. En longeant le bâtiment qui abritait les salles de classe, vous n'entendriez pas la voix monocorde de Mr Remora en train de raconter une histoire, et en longeant l'auditorium vous n'entendriez pas miauler le violon du proviseur adjoint. Enfin, si vous alliez vous planter sous l'arche pour déchiffrer sa devise austère, vous n'entendriez que la brise chuchotant dans les herbes sèches.

Bref, si vous visitiez Prufrock aujourd'hui, vous verriez l'endroit à peu près tel qu'il apparut aux enfants Baudelaire ce matin-là, lorsqu'ils traversèrent la pelouse pour aller parler à Mr Nero. Les trois enfants tenaient tant à le voir seul qu'ils s'étaient levés avec le jour et qu'il n'y avait pas âme qui vive lorsqu'ils se glissèrent dehors. C'était à croire que tout le pensionnat avait été évacué dans la nuit, et qu'il ne restait plus qu'eux trois au pied des tombes géantes. Il y avait de quoi vous donner le frisson, aussi Violette et Prunille eurent-elles un sursaut lorsque Klaus, sans prévenir, se mit à rire tout haut.

— Qu'est-ce qui te fait rire ? demanda Violette.

— Oh rien, je pensais à un truc bête : on va dans le bâtiment administratif sans avoir été convoqués.

Ça signifie qu'à partir de maintenant on mangera avec nos doigts.

– Tu trouves ça drôle ? Et si on nous sert de la bouillie d'avoine, ce matin ? Tu te vois la manger avec les mains ?

– Gloup, affirma Prunille, autrement dit : « Facile, crois-moi. »

Et les deux sœurs éclatèrent de rire à leur tour. Il n'y avait rien de drôle, bien sûr. C'était même plutôt navrant de savoir qu'il existait au monde un règlement aussi inique, mais l'idée de manger de la bouillie avec les mains leur donnait le fou rire.

– Ou des œufs sur le plat ! pouffa Violette. Hein ? s'ils servent des œufs sur le plat, tout coulants ?

– Ou des crêpes arrosées de sirop ! dit Klaus.

– Soup ! renchérit Prunille.

Et tous trois se plièrent de rire derechef.

– Oh ! vous vous souvenez du pique-nique ? dit Violette. Le pique-nique sur les bords de la Rutabaga ? Père était tellement émoustillé qu'il avait oublié les couverts !

– Tu penses si je me souviens, dit Klaus. On avait tout mangé avec les mains, même les crevettes à la sauce chinoise !

– Poissy ! s'écria Prunille, levant haut ses petites mains.

– Pour ça oui, approuva Violette. Ensuite, on s'était lavé les mains dans la rivière, et on avait trouvé un endroit super pour essayer la canne à pêche que j'avais bricolée.

– Et moi, j'avais cueilli des mûres avec Mère, dit Klaus.

– Érouz, fit Prunille, autrement dit : « Et moi, j'avais mordu des cailloux. »

Les enfants cessèrent de rire, tout à ce souvenir pas si lointain, mais qui semblait remonter à plusieurs siècles.

Juste après le tragique incendie, les enfants avaient compris, bien sûr, que leurs parents n'étaient plus ; mais l'effet produit, au début, avait été un peu le même que s'ils s'étaient simplement absentés, le même que s'ils allaient revenir sous peu. À présent, ce fameux pique-nique leur semblait si éloigné, avec ses reflets de soleil sur l'eau et le rire des adultes barbouillés de sauce, qu'ils comprenaient pour de bon que leurs parents ne reviendraient plus.

– On pourra peut-être retourner là-bas un jour, murmura Violette. Retourner sur les bords de la Rutabaga, pêcher des ablettes et cueillir des mûres.

– Oui, peut-être, dit Klaus. (Mais ils savaient tous trois que, même s'ils retournaient là-bas, ce ne serait plus jamais la même chose.) On y retournera peut-être un jour, mais en attendant c'est dans le bureau de Néron qu'il faut aller. Venez. C'est par là qu'on entre, apparemment.

Ils respirèrent un grand coup et entrèrent dans le bâtiment avec un adieu muet aux fourchettes, aux cuillères et aux couteaux. Ils gravirent l'escalier jusqu'au neuvième étage et frappèrent à la porte du proviseur adjoint, surpris de ne pas entendre son violon.

– Bon, oui, entrez ! grogna sa voix avec un soupir excédé. S'il le faut absolument.

Ils entrèrent.

Dos tourné à la porte, le proviseur adjoint contemplait son reflet dans la vitre, tout en nouant d'un élastique l'une de ses couettes riquiqui. Cela fait, il leva les mains en l'air et annonça haut et clair :

– Mesdames et Messieurs, M. le Proviseur adjoint Nero !

Les enfants applaudirent, dociles. Il pivota et se fit sévère.

– Dites ! je n'attendais qu'un seul applaudissement. Violette et Klaus, vous n'êtes pas admis ici. Vous le savez fort bien.

– Je vous prie de m'excuser, M. le Proviseur adjoint, bredouilla Violette, mais… nous avons quelque chose de très important à vous dire.

– *Nous avons quelque chose de très important à vous dire.* Très important, je veux bien le croire. Si important que vous renoncez au luxe de manger avec des couverts. Bien, en ce cas, dites vite. Je prépare mon prochain récital, ne gaspillez pas mon temps.

– Ce ne sera pas long, promit Klaus. (Puis il marqua un silence, comme il est conseillé de le

faire lorsqu'on doit peser ses mots avec soin.)
Voilà, reprit-il en pesant ses mots avec soin. Nous
sommes inquiets parce que... parce qu'il se pourrait bien que le comte Olaf ait trouvé le moyen
de s'introduire ici, à Pru... à l'Institut J. Alfred
Prufrock.

— Sornettes ! décréta Mr Nero. Et maintenant,
ouste, du balai ! Laissez-moi à mon violon.

— Mais ce ne sont peut-être pas des sornettes,
insista Violette. Le comte Olaf est un as du déguisement. Il pourrait très bien être là, sous notre
nez, sans que personne ne se doute de rien.

— La seule chose que j'aie sous le nez, c'est trois
bécasseaux. À qui j'ordonne de disparaître immédiatement et sans délai.

— Le comte Olaf pourrait très bien être Mr Remora, s'entêta Klaus. Ou Mme Alose.

— Mr Remora et Mme Alose enseignent dans
cet établissement depuis plus de quarante-sept ans.
Si l'un d'eux était déguisé, ça se saurait.

— Et les serveuses du réfectoire ? dit Violette.
Elles ont toujours ces masques sur le nez.

– Ces masques, elles les portent pour des raisons d'hygiène et de sécurité, petits crétins !
N'avez rien de mieux à proposer ? Tu es sûre,
Violette, que le comte Olaf ne serait pas plutôt
ton soupirant, le jeune Beaumachin, là, le triplé ?

Violette rosit.

– Duncan Beauxdraps n'est pas mon soupirant.
Et il n'est pas non plus le comte Olaf.

Mais Mr Nero n'écoutait pas. Il était tout à ses
plaisanteries stupides.

– Oh ! mais je sais. Votre comte Olaf, il ne serait
pas déguisé en Carmelita Spats, par hasard ?

– Ou peut-être *déguisé en moi-même* ? susurra
une voix depuis la porte.

Les enfants firent volte-face. Le soi-disant
Gengis était là, une rose rouge à la main et un
éclair féroce dans les yeux.

– Mais oui, en vous-même, hé hé hé ! ricana
Mr Nero. Imaginez ce comte Olaf déguisé en
meilleur entraîneur sportif de la planète.

Klaus posa les yeux sur le faux professeur.
Que de crimes il avait commis, déjà, sous des

déguisements divers : faux laborantin chez l'oncle Monty, faux capitaine chez la tante Agrippine, fausse réceptionniste à La Falote ! Klaus brûlait de crier : « Oui, comte Olaf, on vous a reconnu ! » Mais il se retint. Violette avait raison. Laisser croire qu'ils étaient dupes, c'était gagner du temps ; se donner une chance de deviner ce qu'il tramait.

Klaus garda donc bouche cousue. Ou, plus exactement, il l'ouvrit pour s'esclaffer :

– Ouaf ! Ce serait la meilleure ! Vous vous rendez compte, Mr Gengis ? Ça voudrait dire que votre turban est un déguisement !

La mâchoire de Gengis se durcit.

– Mon turban ?

Mais il se radoucit en comprenant – croyant comprendre – que Klaus plaisantait, et il entra dans le jeu :

– Mon turban, un déguisement ? Ho ho ho ho !

– Hi hi hi hi ! hennit Mr Nero.

Violette et Prunille ne restèrent pas comme deux ronds de flan.

– Oh oui, Mr Gengis ! gloussa Violette. Enlevez votre turban, un peu, qu'on voie votre sourcil unique. Ha ha ha ha !

– Hi hi hi hi ! pouffait Mr Nero. Les enfants, vous êtes trop comiques ! On jurerait trois comédiens !

– Volastock ! lança Prunille, exhibant ses dents de castor.

– Oui ! s'écria Klaus, ma petite sœur a raison ! Elle dit que si vous étiez le comte Olaf, vos baskets seraient géniales pour camoufler votre tatouage !

– Hi hi hi hi ! hoquetait Mr Nero, se tenant les côtes. Les enfants, quels clowns vous faites !

– Ho ho ho ho ! se força Gengis.

– Ha ha ha ha ! l'imita Violette qui sentait monter la nausée.

Là-dessus, avec un sourire à s'en donner des crampes, elle se hissa sur la pointe des pieds et fit mine de lui arracher son turban en pépiant :

– Et je vais vous enlever ça, moi, qu'on voie un peu ce sourcil !

– Hi hi hi hi ! gloussait Mr Nero, ses couettes

secouées de rire. Les enfants, vous êtes plus drôles que des singes savants !

Alors Klaus se pencha et tira sur le lacet d'une des belles baskets en claironnant :

– Et moi, je vais vous enlever ça, qu'on voie un peu ce fameux tatouage !

– Hi hi hi hi ! s'étouffait Mr Nero. Vous êtes vraiment trois…

Mais les enfants Baudelaire ne surent jamais quels trois quoi ils étaient vraiment. Car le jeu changea de ton d'un seul coup. L'entraîneur sportif empoigna Klaus d'une main, Violette de l'autre et les maintint à bout de bras.

– Ho ho… ricana-t-il sur sa lancée, et brusquement il cessa de rire. Assez ri, dit-il d'un ton sec. Pas question d'enlever ces baskets, parce que je viens de courir et que j'ai les pieds qui sentent. Et pas question d'enlever ce turban, ma religion me l'interdit.

– Hi hi… (À son tour, Mr Nero s'arrêta net.) Oh ! Mr Gengis, nous n'allons certes pas vous demander de contrevenir à votre religion. Ni d'ailleurs d'embaumer mon bureau avec vos pieds d'athlète.

Une dernière fois Violette fit mine de viser le turban, une dernière fois Klaus fit mine de viser le lacet, mais l'athlète les tenait de main ferme.

– Barb ! cria Prunille.

Personne ne traduisit.

– Quart d'heure de plaisanterie terminé ! annonça le proviseur adjoint. Merci, les enfants, pour ce divertissement. À bientôt, et bon petit déjeuner avec les doigts. Et maintenant, cher Mr Gengis, que puis-je pour vous ?

– Euh, M. le Proviseur adjoint, je voulais seulement vous offrir cette rose. En modeste compliment du récital sublime que vous nous avez offert hier soir.

– Oh, merci, bafouilla Mr Nero, plongeant dans la rose son nez en tomate. C'était beau, n'est-ce pas ?

– Jusqu'à l'extase. Plus que je ne saurais dire. La première fois que vous avez joué cette sonate, j'ai été très ému. La deuxième fois, j'ai eu les larmes aux yeux. La troisième fois, je sanglotais sans bruit. La quatrième fois, l'émotion m'a submergé. La cinquième fois…

Les enfants Baudelaire n'entendirent pas les effets produits par la cinquième fois, car la porte du proviseur adjoint claqua sur eux.

Ils échangèrent des regards déconfits. Ils avaient été à deux doigts de démasquer le comte Olaf, mais être à deux doigts ne suffit pas. Ils redescendirent en silence et traversèrent la cour pour gagner le réfectoire. Apparemment, le proviseur adjoint avait déjà contacté le personnel, car, lorsque vint le tour de Violette et de Klaus, la serveuse qui tendait les couverts fit lentement non de la tête. Ce matin-là, pas de bouillie d'avoine, mais les œufs brouillés non plus ne sont pas le mets idéal à manger avec les doigts.

– Oh ! pas de problème, dit Isadora en les voyant s'attabler, la mine longue. On va s'arranger entre nous ! Klaus, on se partage ma fourchette, toi et moi ; chacun son tour, d'accord ? Et toi, Violette, tu en fais autant avec Duncan et voilà !

Maintenant, dites-nous comment ça s'est passé, avec Néron.

– Pas trop trop bien, avoua Violette. Gengis s'est pointé trente secondes après nous. On a préféré continuer à faire comme si on ne l'avait pas reconnu.

Isadora tira son carnet de sa poche et lut à voix haute :

*Ah ! quel grand bonheur pour nous*
*Si Gengis se tordait le cou.*


– Bon, dit-elle, c'est du mirliton et je sais que ça n'avance pas à grand-chose, mais j'ai pensé que ça vous plairait quand même.

– Moi, ça me plaît bien, dit Klaus. Et si ça arrivait vraiment, oui, ce serait un sacré coup de bol. Mais bon, ne rêvons pas trop.

– On trouvera bien une solution, assura Duncan en tendant sa fourchette à Violette. À nous quatre, ce sera vite fait.

– Espérons-le, dit Violette. Parce que le comte Olaf ne traîne pas non plus, d'habitude.

– Kosbal, fit Prunille.

– Qu'est-ce qu'elle dit ? demanda Isadora. Qu'elle a une idée ? J'ai du mal à saisir sa façon de parler.

– Je crois plutôt qu'elle dit : « Voilà Carmelita Spats », traduisit Klaus avec un petit mouvement de tête vers l'allée.

Et en effet, Carmelita Spats marchait droit vers eux, l'air fort contente d'elle.

– Salut, les pifgalettes ! J'ai un message pour vous. De la part de Mr Gengis. C'est moi sa messagère spéciale, parce que c'est moi la plus futée, la plus sage, la plus gentille de tout le collège.

– Ne te donne pas de coups de pied ! glissa Duncan.

– T'es jaloux, c'est tout. Parce que c'est moi que Gengis préfère et pas toi, ni ta triplette, ni tes petits copains pifgalettes.

– On s'en fiche royalement, de ton Gengis, dit Duncan. Accouche de ton message et fiche-nous la paix.

– Le message, le voilà : les orphelins Baudelaire sont priés de se rendre sur la pelouse du terrain de sport, ce soir, tous les trois, juste après le dîner.

– Juste après le dîner ? s'étonna Violette. Et le concert ? Comment on fait pour y aller ?

– C'est le message. Et si vous n'y allez pas, il a dit, vous risquez de gros ennuis. Alors, si j'étais toi, miss Violette…

– Mais tu n'es pas Violette, encore heureux, coupa Duncan. (Couper la parole à quelqu'un n'est jamais très élégant, mais quand ce quelqu'un est odieux, on peut avoir du mal à se retenir.) Merci pour le message. À la revoyure.

– Il est d'usage, dit Carmelita, de donner un petit quelque chose au messager, pour le remercier d'avoir livré son message. Une récompense qui s'appelle un pourboire.

– Si tu ne disparais pas illico, rétorqua Isadora, c'est des œufs brouillés sur le nez que tu vas recevoir en pourboire.

– Spèce de pifgalette jalouse, siffla Carmelita, mais elle s'éclipsa.

– Ne vous en faites pas, déclara Duncan à mi-voix, dès qu'elle fut trop loin pour entendre. Il nous reste toute la journée pour décider que faire. Violette, encore un peu d'œufs brouillés ?

– Non merci, répondit Violette. Pas très faim, ce matin.

Et c'était la vérité. Aucun des enfants Baudelaire n'avait très faim ce matin-là. Les œufs brouillés n'avaient jamais été leur plat favori, de toute manière – et surtout pas celui de Prunille, c'était bien trop mou à son goût. Cela dit, leur petit appétit était moins dû aux œufs brouillés qu'à l'idée d'aller retrouver certain triste sire, le soir à la brune, sur un terrain à l'écart et sans témoins.

Certes, Duncan disait vrai : on n'était encore qu'au matin. Il restait la journée entière pour imaginer un plan de défense. Mais les enfants Baudelaire n'avaient plus l'impression d'être au matin. Devant ces œufs brouillés qui ne leur disaient rien, il leur semblait déjà que le soleil s'apprêtait à se coucher. Ils se sentaient déjà à l'heure où se confondent les couleurs, cette heure où Gengis-le-Faux les guetterait. On n'était encore qu'au matin, et il leur semblait déjà marcher vers sa grande ombre.

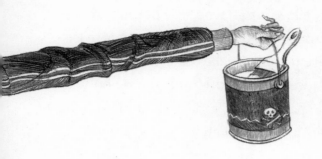

## Chapitre VII

Ce fut une journée difficile. Mr Remora débita des histoires plus endormantes que jamais, Mme Alose ne donna rien d'intéressant à mesurer, Mr Nero se montra tatillon en diable ; mais à vrai dire, ni Violette, ni Klaus, ni Prunille n'étaient réellement à leur tâche.

Violette, rivée à son pupitre, semblait boire les paroles de Mr Remora, mais ses pensées étaient à cent lieues des récits du bananophage.

D'ailleurs elle avait attaché ses cheveux, afin de se concentrer sur le problème Gengis sans se laisser distraire par des mèches dans les yeux.

Mme Alose avait apporté une grande boîte de crayons de papier, tous à mesurer au millimètre près. Si elle avait cessé, un instant, d'arpenter sa classe en scandant : « Mesurez ! », peut-être aurait-elle remarqué Klaus penché sur son double décimètre, et conclu que le garçon partageait son amour de la mesure. En fait, Klaus était en pilote automatique ; depuis le début du cours, il mesurait les crayons à la chaîne sans leur accorder une pensée. Tout en notant les dimensions trouvées, il farfouillait dans sa mémoire, à la recherche d'un souvenir de lecture applicable au problème Gengis.

Et si Mr Nero, un instant, avait cessé de supplicier son violon pour jeter un regard à sa secrétaire miniature, il se serait dit que Prunille travaillait dur à ce courrier qu'il venait de dicter – une lettre de réclamation adressée à divers fabricants de chocolat dont les truffes lui avaient déplu.

En réalité, même si Prunille agrafait, pliait et mettait sous enveloppe à une cadence digne d'éloges, elle n'avait pas l'esprit à sa tâche mais bien au problème Gengis.

Curieusement, au repas de midi, Isadora et Duncan n'apparurent pas, et les enfants Baudelaire durent manger avec leurs doigts. Pour ce mode de dégustation, il y a mieux que les spaghettis bolognaise, mais les orphelins s'appliquèrent à manger presque proprement. Ils étaient trop absorbés pour parler, de toute manière. Ils savaient, sans se consulter, qu'aucun d'eux n'avait deviné où voulait en venir Gengis, ni imaginé de stratagème pour échapper au rendez-vous suspect.

L'après-midi se déroula plus ou moins de la même façon. Ne pas écouter, mesurer en automate, agrafer sans économiser les agrafes : tel fut le programme du trio, les cerveaux tournant à plein régime sur le problème Gengis.

Les trois enfants étaient encore si concentrés, à l'heure du dîner, que lorsque les jeunes Beauxdraps s'assirent en face d'eux et annoncèrent en chœur : « On a une solution », ils firent chacun un petit bond en l'air.

– Bon sang, dit Violette, vous m'avez fait peur !

– Je croyais que tu serais contente, s'étonna Duncan. Tu as entendu ? On a une solution.

– Sursauter n'empêche pas d'être content, dit Klaus. Mais comment ça, une solution ? Nous, nous avons ruminé toute la journée sans rien trouver. Ni un début de plan, ni une parade, que dalle. L'ennui, c'est qu'on n'a aucune idée de ce que mijote Gengis ; tout ce qu'on sait, c'est qu'il mijote quelque chose. Et qu'il va sûrement faire un mauvais coup ce soir.

– Au début, avoua Violette, j'ai pensé qu'il avait l'intention de nous enlever, bêtement. Mais pourquoi se déguiser, si c'était ça ?

– Et moi, au début, dit Klaus, j'ai pensé que la solution était peut-être d'appeler Mr Poe, malgré tout. Mais si le comte Olaf est plus futé qu'un ordinateur de pointe, il est sûrement plus futé qu'un banquier lambda.

– Toricia, approuva Prunille.

– Nous aussi, nous avons réfléchi toute la journée, Duncan et moi, dit Isadora. J'ai rempli cinq pages d'hypothèses et d'idées possibles, et Duncan trois.

– J'écris plus petit, résuma Duncan.

Et il tendit sa fourchette à Violette, pour lui permettre de piocher dans le hachis parmentier.

– Juste avant midi, reprit Isadora, on a confronté nos notes, et on avait eu la même idée ! Alors, on a filé en douce pour aller mettre notre plan sur pied.

– C'est pour ça qu'on a sauté le repas, compléta Duncan. Vous avez vu, dans nos plateaux ? Deux flaques d'eau. On n'a plus droit aux verres.

– Pas grave, puisque nous on en a, dit Klaus en tendant son verre à Isadora. On fera comme pour les couverts. Mais c'est quoi, votre plan ? Qu'est-ce que vous avez mis sur pied ?

Duncan et Isadora échangèrent un regard d'intelligence, puis ils se penchèrent vers leurs amis afin de parler tout bas, tout bas.

– On a bloqué en position ouverte la petite porte au fond de l'auditorium, chuchota Duncan.

Sa sœur et lui eurent un sourire de triomphe, et se renversèrent contre le dossier de leur chaise.

Les enfants Baudelaire restèrent muets. Ils étaient bien embarrassés. Ils s'en seraient voulu de vexer leurs amis, qui avaient pris des risques et renoncé pour eux au luxe de boire dans un verre, mais ils voyaient mal comment bloquer une porte pouvait leur être d'un grand secours.

– Je suis désolée, avoua Violette après un silence. Je ne comprends pas en quoi…

– Tu ne vois donc pas ? lui dit Isadora. Ce soir, pour le concert, on se mettra au dernier rang, Duncan et moi. Dès que Néron commencera à jouer, hop ! on filera dehors tout doux, direction le terrain de sport. Et comme ça on pourra garder l'œil sur Gengis et sur vous. Au moindre détail louche, l'un de nous foncera à la salle pour prévenir le proviseur adjoint.

– Bien vu, non ? dit Duncan. Je suis assez content de nous, sans vouloir nous vanter.

Les enfants Baudelaire ne savaient que répondre. Critiquer les idées des autres est toujours un peu déplacé lorsque, de son côté, on n'a pas d'idée du tout. D'un autre côté, le comte Olaf était si rusé, si retors que tenter de  le tenir à l'œil semblait bien dérisoire.

– C'est vraiment gentil à vous d'essayer de nous venir en aide, dit Klaus d'une voix douce. Merci. Mais vous savez, le comte Olaf est d'une fourberie incroyable. Il a trente-six mille tours dans son sac. Je ne voudrais surtout pas que vous ayez des ennuis à cause de nous.

– Ne dis donc pas de bêtises, assura Isadora d'un ton ferme, entre deux gorgées du verre d'eau de Violette. C'est vous qui êtes en danger, c'est à nous de vous aider. Et votre Olaf ne nous fait pas peur. Je suis sûre que c'est un bon plan.

Une fois de plus, les enfants Baudelaire se turent. C'était une preuve de courage, de la part des deux triplés, que d'avoir si grande confiance en leur plan et de craindre si peu le comte Olaf. Mais les trois enfants s'interrogeaient : était-ce du courage bien placé ? Le comte était un tel félon qu'il valait sans doute mieux le craindre. Et il avait déjoué tant de plans déjà qu'il semblait un peu naïf de croire si fort à celui-là.

Mais Violette, Klaus et Prunille étaient touchés de voir leurs amis se donner tout ce mal, et ils n'insistèrent pas davantage. Par la suite, et pour longtemps, ils devaient regretter amèrement de n'avoir pas insisté davantage. Sur le moment, ils aimèrent mieux changer de sujet de conversation.

Ils discutèrent de projets variés en vue d'améliorer leur gîte ; ils discutèrent de recherches à faire en bibliothèque ; ils discutèrent du souci de Prunille, son stock d'agrafes au plus bas. Ils discutèrent en partageant verres et couverts, et en un rien de temps ce fut la fin du repas. Ils se séparèrent à la sortie du réfectoire, les deux triplés filant au trot vers le grand auditorium et le trio Baudelaire traînant les pieds vers le terrain de sport.

Dans les derniers rayons du soir, les trois enfants projetaient dans l'herbe des ombres longues, démesurées, comme étirées au rouleau par quelque horrible engin de chantier. Ils contemplaient ces ombres en silence, plus fines que du papier de soie, et regrettaient à chaque pas de ne pouvoir faire autrement que d'aller à ce rendez-vous louche.

Ils auraient voulu marcher sans fin, marcher, marcher, gagner le vaste monde, mais pour aller où ? Ils étaient seuls tous trois, seuls sur cette terre. Leurs parents n'étaient plus. Leur banquier avait trop à faire. Leurs uniques amis étaient deux orphelins aussi, deux orphelins dont ils espéraient qu'à l'instant même ces deux-là s'étaient coulés hors de l'auditorium et commençaient à monter la garde.

Le trio approchait sans hâte la longue silhouette solitaire postée au bord de la pelouse. À cette heure entre chien et loup, lorsque le loup l'emporte sur le chien et que tout devient menace, le turban de l'homme planté là prenait des proportions inquiétantes.

– Vous êtes en retard, dit la voix râpeuse. (À cette distance, les enfants voyaient que l'homme avait les mains dans le dos, comme s'il dissimulait quelque chose.) Je vous avais demandé de venir immédiatement après dîner. Vous avez flâné.

– Euh, pardon, dit Violette en étirant le cou pour essayer de voir ce qu'il cachait. Nous avons mis longtemps à manger parce que nous n'avions pas de couverts.

– Si vous étiez futés, dit Gengis, vous emprunteriez les couverts de vos amis.

– On n'y a pas pensé, dit Klaus (avec ce petit effet d'ascenseur au ventre que provoquent les gros mensonges). Vous êtes vraiment très intelligent.

– Je suis mieux qu'intelligent, grommela Gengis, je suis malin. Bon, et maintenant, au boulot. Même des petites têtes de moineau comme les vôtres doivent se rappeler ce que j'ai dit sur les dons des orphelins pour la course. Mais il est clair que ces dons, chez vous, sont restés totalement inexploités. C'est pourquoi j'ai décidé de lancer pour vous un programme E. S. P. O. I. R.

– E. S. P. O. I. R. ? répéta Klaus.

– Oui, Entraînement Spécial Pour Orphelins Insuffisamment Résistants. Ou plutôt, dans votre cas, Intolérablement Rouillés.

– Houladou ! s'écria Prunille.

– Elle dit : « C'est merveilleux ! » s'empressa de traduire Violette, alors qu'*houladou* signifiait : « Vous ne pourriez pas nous dire plutôt ce que vous mijotez ? »

– Enchanté de vous voir si enthousiastes, dit Gengis. Parfois l'enthousiasme compense en partie l'absence de cervelle.

Il ramena ses bras vers l'avant, et les enfants virent ce qu'il tenait : d'une main, une sorte de seau ; de l'autre, un long pinceau hérissé. Le seau était ouvert, et son contenu luisait d'une étrange lueur verdâtre.

– Bien. Pour notre programme E. S. P. O. I. R., il nous faut une piste d'entraînement. Ceci est une peinture phosphorescente, ce qui signifie qu'elle luit dans l'obscurité.

– Intéressant, dit Klaus qui connaissait le mot *phosphorescent* depuis deux ans et demi au moins.

– Parfait, décida Gengis, les yeux plus luisants que sa peinture. Puisque tu trouves ça intéressant, c'est toi qui manieras le pinceau. Tiens. (Il fourra

le pinceau dans la main de Klaus.) Et vous, les filles, vous serez chargées du pot. Je veux que vous traciez dans l'herbe un large cercle lumineux. Et j'ai bien dit : un *large* cercle. Bon, qu'est-ce que vous attendez ?

Les enfants se regardèrent. Ce qu'ils attendaient, c'était que Gengis daigne leur expliquer une bonne fois où il voulait en venir avec sa peinture, son pinceau et son ridicule programme E. S. P. O. I. R. Espoir pour qui, d'ailleurs ? Pour eux trois ou pour lui ?

Mais l'explication avait peu de chances de venir, et mieux valait sans doute obéir. Tracer sur une pelouse un grand cercle phosphorescent ne semblait pas particulièrement dangereux, aussi Violette saisit-elle le seau et Klaus, trempant le pinceau, commença-t-il à tracer un grand cercle. Prunille était un peu la cinquième roue de la charrette – autrement dit, guère en mesure de se rendre utile –, mais elle suivit bravement ses aînés, à quatre pattes, apportant son soutien moral.

– Plus grand ! tonna Gengis dans la nuit tombante. Plus large !

Les enfants obéirent et tracèrent le cercle plus grand, plus large. Ils s'éloignaient de l'entraîneur, laissant derrière eux une trace lumineuse. Du coin de l'œil, ils scrutaient la pénombre et se demandaient où se cachaient Isadora et Duncan. Avaient-ils réussi à sécher le concert, pour finir ?

Mais l'obscurité gagnait, et les orphelins ne voyaient plus que le chemin lumineux qu'ils traçaient et la vague silhouette de Gengis, son turban clair flottant dans la nuit comme un grand crâne de mort.

– Plus grand ! Plus large !… Bon, bon, ça y est, c'est assez grand et large ! Maintenant, refermez le cercle en revenant vers moi. Plus vite !

– À ton avis, qu'est-ce qu'il nous fait faire ? chuchota Violette à son frère.

– Aucune idée. Pas lu grand-chose sur la peinture. Je sais qu'elle peut être toxique, parfois, et provoquer des anomalies à la naissance. Mais du moment qu'il ne nous fait pas manger de cette herbe peinte et que nous n'attendons pas de bébé, je pense qu'il n'y a pas de risque.

Prunille aurait voulu ajouter : *Garamba* ! (« C'est peut-être une espèce de signal lumineux ? »), mais le cercle s'achevait, et ils étaient trop près de Gengis pour continuer à discuter entre eux.

– Bon. On dira que ça va, déclara Gengis, leur reprenant des mains seau et pinceau. C'est plutôt un ovale qu'un cercle, mais peu importe. Et maintenant, à vos marques. À mon coup de sifflet, partez, et courez le long de cette piste jusqu'à ce que je vous dise d'arrêter.

– Quoi ? fit Violette.

Vous l'avez sans doute noté, il existe deux sortes de *Quoi ?* Le premier signifie seulement : « Désolé, j'ai mal entendu. » (Certes, il vaudrait mieux dire « Pardon ? » ou « Pourriez-vous répéter, s'il vous plaît ? », mais dans l'urgence on dit souvent « Quoi ? », qui est déjà nettement mieux que « Hein ? ».) Le second *Quoi ?* est plus complexe. Il signifie, en gros : « J'ai parfaitement entendu, mais je refuse d'y croire ! »

LES DÉSASTREUSES AVENTURES DES ORPHELINS BAUDELAIRE

À l'évidence, c'est ce deuxième *Quoi ?* que venait d'employer Violette. Elle était à deux pas de Gengis, à deux pas de sa mauvaise haleine, et n'avait donc pu manquer un mot de ce qu'il avait dit. Mais elle refusait de croire qu'il leur ordonnait bêtement d'exécuter des tours de piste. Un être aussi cruel et sournois, se contenter des méthodes de torture d'un entraîneur sportif ordinaire ?

– *Quoi ?* singea Gengis – à croire que le proviseur adjoint avait déteint sur lui. Tu m'as entendu, petite insolente, ne fais pas semblant d'être sourde ! J'ai dit : à vos marques ! Et, à mon coup de sifflet, courez !

– Mais Prunille est trop petite, protesta Klaus. Même pour marcher, déjà, il faut lui tenir la main. Alors pour courir, vous pensez…

– Elle n'a qu'à courir à quatre pattes ! Elle sait faire. Je l'ai vue ; elle file à toute allure. Et maintenant à vos maarques… Prêts ? P'tez !

Gengis donna un coup de sifflet et les orphelins s'élancèrent, réglant leur foulée de manière à courir de front, malgré leurs différences de style et de longueur de jambes. Ils accomplirent un tour de piste, puis un autre, et un autre encore, puis cinq de plus, puis un autre, puis sept de plus, puis un autre, puis encore trois, puis deux de plus, et un autre, et encore un autre, et encore un autre, et six de plus ; après quoi ils perdirent le compte.

Gengis n'arrêtait pas de lancer des coups de sifflet et des instructions inutiles du style : « Allez, allez, courez ! » ou « Encore un tour ! » Et les enfants couraient, couraient, l'œil sur la piste lumineuse afin de ne pas s'en écarter, l'œil sur l'entraîneur qui grossissait puis diminuait puis regrossissait, et l'œil sur les profondeurs de la nuit, à la recherche de deux taches qui auraient pu être les Beauxdraps.

Mais ils n'échangeaient pas un mot, pas un seul, même lorsqu'ils étaient si loin du bourreau qu'ils ne risquaient pas d'être entendus. Et ce silence avait deux raisons. D'abord, mieux valait économiser l'énergie ; car les enfants Baudelaire avaient beau être en forme, jamais encore ils n'avaient tant couru, si bien qu'ils furent très vite essoufflés.

Mais la seconde raison est que Violette avait résumé leurs pensées, avec son *Quoi ?* du deuxième type. Et, cette question, les trois enfants l'entendaient carillonner dans leur tête tandis qu'ils couraient, couraient en rond. Ils n'arrivaient pas à croire que cet étrange programme E.S.P.O.I.R. se résumait à des tours de piste.

Les enfants Baudelaire coururent, coururent, jusqu'à ce que les premières lueurs de l'aube éclairent le rubis, vrai ou faux, sur le turban du faux Gengis.

Et dans leur tête, à chaque foulée, la question rebondissait : *Quoi ? Quoi ? Quoi ? Quoi ?*

# Chapitre VIII

– *Quoi ?* s'écria Isadora.

Klaus répéta d'un ton patient :

– Et pour finir, au petit jour, il nous a dit d'arrêter de courir et de courir nous coucher.

– Ma sœur ne veut pas dire « Quoi ? J'ai mal entendu ! » expliqua Duncan, non moins patient. Elle veut dire « Quoi ? C'est pas vrai ! Je n'arrive pas à y croire. » Et, pour être franc, moi non plus. Pourtant, je l'ai vu, de mes yeux vu.

– Moi aussi, j'ai peine à y croire, avoua Violette en posant son plateau de salade sur la table.

Elle était si moulue de courbatures qu'elle grimaçait à chaque pas.

Il était midi et, dans sa tête, les *Quoi ?* n'avaient plus la force de rebondir. Après une nuit de marathon en rond, les trois jeunes Baudelaire avaient les jambes en compote – sans parler des bras, pour Prunille. Bien pis, dans leur fatigue, en rentrant se coucher, ils avaient oublié de chausser leurs patins anti-crabes et l'ennemi en avait profité. Résultat : leurs orteils aussi étaient en compote. Sans parler de leurs cervelles, pour n'avoir presque pas dormi. Bientôt, à force de grimacer, les coins de leurs bouches aussi allaient attraper des courbatures.

Pour le moment, devant leur repas, ils discutaient de l'étrange nuit avec les enfants Beauxdraps. Isadora et Duncan étaient dix fois moins courbatus, bien sûr, puisqu'ils avaient passé la nuit vautrés dans l'herbe, à épier la scène depuis la grande arche. Mais ils étaient aussi moitié moins ensommeillés, aucun d'eux n'ayant veillé toute la nuit.

Dès qu'ils avaient vu leurs amis lancés dans une boucle sans fin, ils avaient sagement décidé de monter la garde à tour de rôle, l'un dormant quand l'autre veillait – ce dernier devant donner l'alerte s'il y avait du nouveau.

Mais il n'y avait pas eu de nouveau.

– À l'aube, expliqua Duncan, c'est moi qui étais de quart. Donc Isadora n'a pas vu la fin. Mais ça n'a pas d'importance, puisqu'il ne s'est rien passé. Il vous a dit d'aller au lit, c'est tout. Moi, je pensais que peut-être, avant de vous laisser arrêter, il allait vous obliger à lui céder votre héritage.

– Et moi, dit Isadora, je pensais que peut-être le cercle lumineux allait permettre l'atterrissage d'un hélico, quelque chose comme ça. Un hélico piloté par un complice, prêt à vous hélitreuiller dans les airs. Sauf que je voyais mal pourquoi vous obliger, avant, à faire des tours de piste.

– Et il n'y a pas eu d'hélico, dit Klaus – avec une grimace, parce qu'il changeait de position.

– Peut-être que le pilote s'est perdu, suggéra Isadora.

– Ou peut-être que Gengis s'est fatigué avant vous, dit Duncan, et qu'il a oublié de vous demander de lui céder votre héritage.

Violette n'y croyait pas.

– Lui ? Oublier notre héritage ? Pas de danger ! Non, il a sa petite idée derrière la tête, j'en suis sûre. Mais laquelle ? J'ai beau me presser le citron, je sèche.

– Évidemment que tu sèches, dit Duncan. Vannée comme tu l'es. Bien content qu'on se soit relayés, Isadora et moi ! Ça nous laisse assez de tête pour continuer l'enquête. On va y consacrer tous nos moments libres, relire nos notes, faire des recherches en bibliothèque. Bien le diable si on ne trouve pas au moins un indice !

– Moi aussi, dit Klaus en bâillant, je vais faire des recherches. Les recherches, c'est mon rayon.

– On l'a bien vu, Klaus, que c'est ton rayon, lui dit gentiment Isadora. Mais aujourd'hui, tu sais, je pense qu'il vaudrait mieux que tu nous laisses faire. On va tâcher de débrouiller l'affaire, Duncan et moi, et pendant ce temps-là, vous trois, vous

rattraperez votre sommeil. Vous êtes bien trop fla-
pis pour faire du bon boulot, en bibliothèque ou
ailleurs.

Violette regarda Klaus, Klaus regarda Violette –
cernes aux yeux, paupières tombantes – et tous
deux comprirent que leurs amis disaient vrai.
Violette était si exténuée qu'elle avait pris trois
notes en tout, dans la matinée, sur la trentaine
d'histoires barbantes débitées par Mr Remora.
Klaus était si exténué qu'il avait confondu mètres
et centimètres dans presque toutes les mesures
demandées par Mme Alose. Et le ciel seul savait ce
qu'avait fait Prunille du courrier de Mr Nero, mais
elle n'avait pas dû se montrer d'une efficacité ful-
gurante car à présent elle dormait, sa joue ronde
dans sa salade – comme si c'était un oreiller
douillet et non un mélange de laitue, de rondelles
de tomate et de mayonnaise, le tout agrémenté de
croûtons frottés d'ail.

Violette souleva délicatement la tête de sa petite
sœur et, d'une main douce, détacha les croûtons
pris dans ses fins cheveux. Prunille eut un petit

gémissement, une grimace, et, sans rouvrir les yeux, elle se rendormit instantanément sur les genoux de son aînée.

– Tu as peut-être raison, Isadora, dit Violette. On va survivre comme on pourra à la deuxième moitié de la journée, et après ça on s'offrira une grande bonne nuit réparatrice. Ce soir, si on est vernis, Néron jouera quelque chose de doux, on pourra dormir tout le temps du concert.

On mesure, par cette dernière phrase, combien Violette était épuisée : l'expression « si on est vernis » était de celles que ni elle, ni Klaus, ni Prunille n'utilisaient très souvent. Pas parce qu'elle est un peu familière, mais parce que les enfants Baudelaire étaient tout, sauf vernis. Gentils, oui. Intelligents, oui. Résistants à l'adversité, oui. Chanceux, jamais. « Si on est vernis », dans leur bouche, avait à peu près autant de sens que « si on est des tiges de céleri ». Si les orphelins Baudelaire avaient été des tiges de céleri, ils n'auraient pas été trois enfants en danger ; et, s'ils avaient été vernis, ils n'auraient pas eu la mauvaise surprise de voir Carmelita Spats, à cet instant, marcher droit vers eux avec le même sourire satisfait que la veille.

– Salut, les pifgalettes ! Sauf qu'à voir votre limace de sœur, je dirais plutôt les pifsalades. Bon, j'ai encore un message pour vous, de la part de Mr Gengis. Je suis sa messagère spéciale parce que c'est moi la plus futée, la plus sage, la plus gentille de tout le collège.

– Si tu étais si gentille, lui dit Isadora, tu n'irais pas te moquer d'un bébé. Mais bon, on s'en fiche. C'est quoi, ton message ?

– Exactement le même qu'hier, mais je vais quand même le répéter, au cas où vous seriez trop bêtes pour vous en souvenir. Les orphelins Baudelaire sont priés de se rendre sur la pelouse du terrain de sport, ce soir, tous les trois, juste après le dîner.

– *Quoi ?* fit Klaus.

– T'es sourd, peut-être, en plus de puer la galette ? J'ai dit…

– Ça va, trancha Isadora. Il t'a très bien entendue et nous aussi. Maintenant, s'il te plaît, du vent !

– Vous me devez *deux* pourboires, rappela Carmelita, et elle repartit, altière.

– Oh non, gémit Violette. Il ne va pas nous refaire courir ? J'arrive à peine à marcher.

– Carmelita n'a pas parlé de courir, fit observer Duncan. Peut-être que cette fois Gengis compte mettre en action son *vrai* plan. En tout cas, nous, ce soir, on refait comme hier et on veille sur vous, promis.

– Absolument, confirma Isadora. On se relaiera. Parions que, dès ce soir, son jeu sera plus clair. Sans compter qu'il nous reste tout l'après-midi pour mener l'enquête.

Elle se tut, ouvrit son carnet noir, feuilleta pour trouver la bonne page et lut à voix haute :

*Chers amis, ne vous en faites pas,*
*L'enquête est aux mains des Beauxdraps.*

– Merci, dit Klaus avec un petit sourire las. Mes sœurs et moi, on vous remercie. Et on va tâcher de réfléchir, nous aussi, même si on est trop vannés pour faire des recherches aujourd'hui. À nous cinq, si on est vernis, on battra ce Gengis à plate couture.

« Si on est vernis. » Une fois de plus, l'expression revenait dans la bouche d'un Baudelaire, et une fois de plus elle avait à peu près autant de sens que « si on est des tiges de céleri ». À ce détail près, tout de même, qu'aucun des enfants Baudelaire ne souhaitait être une tige de céleri. Les tiges de céleri, certes, ne risquent pas d'être orphelines puisque, en tant que légumes, elles n'ont pas vraiment de parents. Mais quantité de misères les guettent, elles aussi. Par exemple se faire couper en morceaux et se retrouver dans un potage en compagnie de navets et de poireaux ; ou se faire tartiner de roquefort pour être croquées en apéritif ; ou même, pire encore, rester à pourrir au potager parce que le jardinier est en vacances, ou en plein accès de flemme, ou parce qu'il a découvert qu'il avait horreur du céleri. Tous ces coups du sort peuvent frapper le céleri, et les orphelins Baudelaire le savaient. Si on leur avait posé la question : « Aimeriez-vous être des tiges de céleri ? », ils auraient répondu non, bien sûr. En revanche, être vernis, ils n'auraient pas demandé mieux.

Oh ! ils n'étaient pas exigeants. Être *un peu* vernis leur aurait suffi. Avoir un peu de chance, comme on dit. Ils ne réclamaient pas de cette chance immense qu'il faut, par exemple, pour découvrir un trésor, pour gagner son propre poids en nougat ou pour épouser une perle comme ma chère Beatrice – chance qu'un autre a eue à ma place. Non, les orphelins Baudelaire ne souhaitaient qu'un peu de chance, juste ce qu'il fallait pour trouver le moyen d'échapper à Gengis-le-Faux.

Il était clair, en tout cas, qu'avoir un peu de chance était leur seule chance de s'en tirer. Violette n'avait plus la force d'inventer quoi que ce fût ; Klaus n'avait plus la force de lire quoi que ce fût ; et Prunille, endormie sur les genoux de sa sœur, n'avait plus la force de mordre quoi que ce fût. Sans une pincée de chance, malgré le zèle des jeunes Beauxdraps – et *zèle* ici signifie : « ardeur à prendre des notes dans un carnet vert ou noir » –, l'histoire des orphelins Baudelaire risquait de s'achever vite et mal.

La chance, dit le proverbe, ne donne pas, elle prête. Était-ce trop demander qu'un tout petit prêt, modeste et bien vite remboursé ?

Chapitre IX

**D**ans la vie, assez souvent, des choses qui semblaient obscures finissent par s'éclaircir à la
lumière de l'expérience.

Par exemple, quand on vient de naître, on n'a
d'ordinaire aucune idée de ce que peuvent être
des rideaux. Du coup, on passe pas mal de temps,
dans les premiers mois de sa vie, à se demander
pourquoi diable les grandes personnes ont sus-
pendu ces pans d'étoffe à chaque fenêtre. Puis, à

mesure que l'on grandit, l'idée de rideaux devient plus claire à la lumière de l'expérience. On apprend le mot *rideaux* et on découvre que la chose est bien pratique, à la réflexion, pour faire le noir à l'heure de dormir ou pour égayer une ouverture tristounette. Avec le temps, en général, on adopte si totalement l'idée de rideaux qu'on finit par en acheter soi-même, un jour ou l'autre, pour habiller ses propres fenêtres.

Cependant, il est des mystères que la lumière de l'expérience échoue complètement à éclaircir ; et il en fut ainsi, pour les enfants Baudelaire, des intentions cachées sous le fameux programme E.S.P.O.I.R. Bien au contraire, au fil des jours, l'idée se fit plus obscure à mesure qu'au fil des nuits la fatigue se faisait plus lourde.

Après le second message de Carmelita Spats, Violette, Klaus et Prunille passèrent l'après-midi à se creuser la cervelle. Qu'allait inventer Gengis ? Duncan et Isadora se creusèrent la cervelle aussi et, lorsque les trois Baudelaire allèrent rejoindre l'entraîneur tandis que les deux Beauxdraps se coulaient sous l'arche pour épier la scène, grande fut leur surprise à tous d'entendre Gengis, sifflet en main, ordonner au trio : « Courez ! » Chacun d'eux s'était attendu à un scénario infiniment plus épouvantable.

Mais si une seconde nuit de marathon manquait – à première vue – d'épouvantabilité, Violette, Klaus et Prunille étaient trop épuisés pour faire la différence. À peine s'ils entendaient les coups de sifflet de Gengis, ses « Allez ! allez ! » et ses « Encore un tour ! », tant ils soufflaient comme des phoques. Ils furent bientôt si trempés de sueur qu'ils auraient troqué leur héritage contre une bonne douche longue et tiède. Et leurs jambes en capilotade avaient fini par oublier, même à la lumière de l'expérience, quel effet cela faisait de tirer sur un muscle sans souffrir.

Tour après tour ils tournaient en rond, ou plus exactement en ovale, les yeux sur la piste phosphorescente qui se détachait du gazon sombre. Et cet ovale qui luisait vert était peut-être le plus pénible. Plus la nuit se faisait noire, plus l'ovale se faisait obsédant. Les enfants ne voyaient plus que lui, il persistait sur leur rétine même lorsqu'ils scrutaient l'ombre. S'il vous est arrivé de prendre un coup de flash dans les yeux, vous connaissez cette sensation que la lumière s'est imprimée au fond de l'œil et refuse de s'effacer. C'est exactement ce qu'éprouvaient les enfants Baudelaire, à ce détail près que la forme ovale se gravait aussi dans leur tête et y formait un zéro parfait. Un zéro qui résumait toute la situation. Zéro pour ce qu'ils savaient des intentions de Gengis. Et zéro énergie pour réfléchir là-dessus.

Enfin, aux premières lueurs de l'aube, l'entraîneur congédia ses poulains. Les trois enfants se traînèrent au gîte, trop fourbus pour chercher à savoir si Duncan et Isadora, de leur côté, repartaient vers le dortoir. Une fois de plus, ils n'eurent pas la force de chausser leurs patins anti-crabes, si bien qu'au réveil, deux heures plus tard, leurs orteils déjà en compote étaient carrément en marmelade. Difficile d'attaquer la journée du bon pied dans d'aussi rudes conditions.

Ce serait donc, une fois de plus, tout un jour sur les rotules. Une fois de plus, et plusieurs fois de plus ! Car pour les orphelins Baudelaire – et je frémis en l'écrivant – ce deuxième jour sur les rotules (ou « dans le coton », ou « à côté de leurs pompes », au choix) ne devait pas être le dernier. Au repas de midi, après une matinée à piquer du nez sur la tâche, ils virent revenir Carmelita Spats qui leur transmit le message rituel. Alors ils s'écroulèrent tous trois, désespérés à l'idée d'une nouvelle nuit d'enfer. Isadora et Duncan promirent d'accélérer les recherches, mais Violette, Klaus et Prunille étaient trop écrasés de fatigue pour répondre, même à leurs meilleurs amis. Par bonheur, ces meilleurs amis ne s'estimèrent pas insultés.

Il paraît invraisemblable que les enfants aient pu survivre à une troisième nuit de programme E.S.P.O.I.R., mais, en période de tension extrême, on se découvre parfois une énergie insoupçonnée alors qu'on se croyait épuisé. J'en ai fait l'expérience moi-même, le jour où j'ai été réveillé en pleine nuit et pris en chasse sur vingt kilomètres par une foule en furie armée de torches, de sabres et de chiens déchaînés. En tout cas, c'est ce que constatèrent les orphelins Baudelaire, non seulement cette nuit-là, mais au cours des six nuits qui suivirent. Ce qui portait l'ensemble à un total de neuf séances E.S.P.O.I.R. – neuf nuits de points de côté, de souffle court, de sweat-shirts poisseux, neuf nuits à n'avoir rien d'autre en tête que ce grand zéro lumineux, symbole de vide et de désespoir.

Cependant, les enfants Baudelaire n'étaient pas les seuls à souffrir : leurs résultats scolaires souffraient aussi. Comme vous l'avez sans doute constaté, les bonnes nuits font les bonnes notes, et, si vous êtes encore élève, vous savez qu'en règle générale mieux vaut se coucher tôt et surtout éteindre tôt – sauf bien sûr si l'on arrive au passage le plus palpitant d'un livre, auquel cas on lira jusqu'aux petites heures du matin, quitte à prendre un peu de retard sur son travail le lendemain.

Mais la fatigue des enfants Baudelaire dépassait largement celle de quelqu'un qui a lu toute la nuit. Et, dans les jours qui suivirent, leur travail fit plus que prendre un peu de retard. Il resta tout à fait en carafe, expression qui signifie différentes choses pour chacun des enfants. Violette ne nota plus un mot des histoires de Mr Remora. Klaus ne mesura plus un seul des objets de Mme Alose. Et Prunille, qui résistait le mieux, massacra un nombre inouï d'agrafes.

Jusqu'alors, les enfants Baudelaire avaient toujours été consciencieux. Ils avaient toujours fait de leur mieux ce qu'on leur demandait de faire. Ils estimaient que c'était important – y compris dans un collège dirigé par un tyran fou. Mais faire de son mieux quand on dort debout est tout simplement impossible. Bientôt l'ovale luminescent ne fut pas le seul zéro à danser devant leurs yeux. Violette en vit un sur sa copie, un matin, pour n'avoir pas retrouvé une seule des histoires de Mr Remora lors d'une interrogation écrite. Klaus en vit un devant son nom, à son tour, quand Mme Alose l'interrogea sur la longueur d'une chaussette et qu'elle le surprit à faire un petit somme. Quant à Prunille, un matin, en ouvrant le tiroir aux agrafes, elle découvrit qu'il en restait zéro.

– Ça devient complètement burlesque, déclara Isadora lorsque Prunille, au réfectoire, informa les grands de la panne sèche. Enfin quoi, c'est vrai, Prunille ! Déjà, t'embaucher comme secrétaire, c'est grotesque. Mais t'obliger à courir le marathon la nuit et à fabriquer des agrafes le jour, c'est parfaitement loufdingue.

Klaus sortit de sa torpeur.

– Dis donc, toi ! Que je t'entende traiter ma sœur de loufdingue !

– Je n'ai jamais dit qu'elle était loufdingue ! C'est la situation qui l'est !

– Grotesque, loufdingue, burlesque, c'est ce qui fait ricaner, déclara Klaus que la fatigue n'empêchait pas d'aimer les mots et leurs définitions. Je t'interdis de ricaner de nous.

– Mais je ne ricane pas de vous ! protesta Isadora. J'essaie de faire avancer les choses !

– Rire de nous ne les fait pas avancer d'un poil, espèce de pifgalette ! gronda Klaus en récupérant son verre.

Isadora récupéra sa cuillère.

– Me traiter de tous les noms ne les fait pas avancer non plus, pifgalette toi-même !

– Moumdoum, fit Prunille.

– Oh ! arrêtez, vous deux ! intervint Duncan. Isadora, tu ne vois donc pas que Klaus n'en peut plus, bêtement ? Et toi, Klaus, tu ne vois donc pas qu'Isadora ronge son frein, bêtement ?

Klaus retira ses lunettes et repoussa son verre en direction d'Isadora.

– Voir ? dit-il, penaud. Je suis bien trop vanné pour y voir clair. Pardon, Isadora. La fatigue me rend grincheux. Encore quelques jours, et je serai aussi imbuvable que Carmelita Spats.

Isadora lui rendit la cuillère et lui tapota le dos de la main.

– Non, Klaus. Pour ça au moins, on peut être tranquilles. *Jamais* tu ne seras aussi imbuvable que Carmelita.

– Carmelita… Spats ? s'écria Violette en sursaut. (Tout le temps de la bisbille, elle avait somnolé, tête pendante, mais ce nom venait de l'éveiller net.) Ce n'est tout de même pas que la revoilà ?

– Je crains bien que si, soupira Duncan désabusé – et *désabusé*, ici, signifie : « écœuré de voir revenir pour la dixième fois une petite pimbêche arrogante et revêche ».

– Salut, les pifgalettes, annonça l'arrivante. Aujourd'hui, j'ai deux messages pour vous, alors vous me devrez deux pourboires.

– Oh, ça va ! lui dit Klaus. Les pourboires, tu t'en es passée neuf fois ; tu t'en passeras bien une dixième.

– Ce qui prouve que tu es un orphelin mal élevé, rétorqua l'intéressée. Mais ça, on le savait déjà. Message numéro un, comme d'hab : Gengis vous attend tous les trois, ce soir, après dîner, sur la pelouse du terrain de sport.

– Oh non ! gémit Violette. Et le message numéro deux ?

– Message numéro deux : vous êtes convoqués immédiatement dans le bureau de M. le Proviseur adjoint.

– Dans le bureau de Né... de Mr Nero ? demanda Klaus. Pour quoi faire ?

– Désolée, laissa tomber Carmelita avec un petit sourire d'archange. Je ne réponds pas aux questions des orphelins pifgalettes qui ne donnent même pas de pourboire.

À trois tables de là, des membres de sa clique s'esclaffèrent et se mirent à scander en battant la mesure : « Les orphelins pifgalettes à la Bicoque aux orphelins ! Les orphelins pifgalettes à la Bicoque aux orphelins ! »

Rayonnante, Carmelita regagna sa tablée. Peu après, la moitié de la salle scandait en s'accompagnant de ses couverts : « Les-or-phe-lins-pif-ga-lettes-à-la-Bi-coque-aux-or-phe-lins ! Les-or-phe-lins-pif-ga-lettes-à-la-Bi-coque-aux-or-phe-lins ! »

Les enfants Baudelaire, avec un soupir, se dressèrent sur leurs jambes moulues.

– Bon, dit Violette. Si Néron nous attend, il faut qu'on y aille. À tout à l'heure, vous deux.

Mais Duncan se levait aussi.

– À tout à l'heure ? Sûrement pas ; on vous

accompagne. Cette peste de Carmelita m'a coupé l'appétit, de toute façon. Alors tant pis pour les épinards, on vient avec vous. Sauf qu'on n'entrera pas dans le bâtiment administratif, quand même. Sinon, à nous cinq, on n'aurait plus de couverts du tout. On vous attendra dehors et vous nous raconterez tout.

– Je me demande bien ce que nous veut Néron, dit Klaus en bâillant.

– Peut-être qu'il a découvert tout seul que Gengis est le comte Olaf, suggéra Isadora pleine d'espoir.

Les enfants Baudelaire lui sourirent. Ils n'osaient en espérer tant, mais l'optimisme des amis est toujours un réconfort.

Les cinq enfants rendirent leurs plateaux aux serveuses, qui clignèrent des yeux derrière leurs masques, puis le petit groupe gagna en silence le pied du bâtiment administratif. Là, les enfants Beauxdraps souhaitèrent bonne chance aux enfants Baudelaire, puis, sur leurs jambes en marmelade, Violette, Klaus et Prunille gravirent l'escalier jusqu'au neuvième étage.

– Merci d'avoir pris un instant sur votre emploi du temps très chargé, les accueillit le proviseur adjoint en ouvrant la porte d'un coup sec, sans même les laisser frapper. Bon, mais entrez, dépêchez-vous ! Chaque minute que je perds avec vous est une minute de moins pour mon violon, et, pour un artiste comme moi, chaque minute compte.

Les trois enfants entrèrent dans le bureau minuscule et applaudirent, las et dociles, dès qu'ils virent Mr Nero prêt à saluer une foule invisible.

La séance d'applaudissements terminée, il croisa les mains sur son ventre.

– Je voulais vous voir pour deux raisons. Savez-vous lesquelles ?

– Non, monsieur, répondit poliment Violette.

– *Non, monsieur*, singea-t-il, clairement déçu de n'en avoir pas plus long à singer. Eh bien, voici. La première est que vous avez manqué mes récitals ces neuf derniers jours, et que vous me devez donc, chacun, neuf kilos de truffes au chocolat. Neuf kilos multiplié par trois, ça fait vingt-neuf. Par-dessus le marché, Carmelita Spats m'a informé qu'elle vous avait transmis dix messages en tout, en comptant les deux de ce midi, et pas une fois vous ne lui avez donné de pourboire. C'est une honte. À mon avis, un honnête pourboire serait une paire de jolies boucles d'oreilles en or fin ; donc vous lui devez, en tout, dix paires de jolies boucles d'oreilles en or fin. Quelque chose à dire à ce propos ?

Les trois enfants échangèrent des regards ensommeillés. Quelque chose à dire ? Non, rien. Quelque chose à *redire*, oui, et même beaucoup à redire ! D'abord, qu'ils n'avaient manqué les concerts que contraints et forcés ; ensuite, que neuf fois trois égale vingt-sept et non vingt-neuf ; enfin, que les pourboires sont facultatifs et qu'ils consistent d'ordinaire en piécettes, non en boucles d'oreilles. Mais Violette, Klaus et Prunille étaient bien trop exténués pour formuler ces remarques à voix haute – à la grande déception de Mr Nero qui attendait, en grattant ses couettes, l'immense plaisir de répéter ce que l'un d'eux allait dire.

Mais rien ne vint et il poursuivit :

– La seconde raison pour laquelle je vous convoque est que vous êtes devenus, tous trois, les pires élèves de toute l'histoire de Prufrock. Violette, Mr Remora me dit que tu as rendu feuille blanche à une interrogation écrite. Klaus, Mme Alose me dit que tu confonds pour ainsi dire les pouces et les centimètres. Et, Prunille, je viens de découvrir que tu n'as pas fabriqué une seule agrafe ! Mr Poe m'avait assuré que vous étiez des enfants sérieux, or je m'aperçois que vous n'êtes qu'une bande de petits pifgalettes !

C'en était trop. Les enfants ne purent tenir leur langue.

– Si on travaille mal en classe, protesta Violette, c'est qu'on n'en peut plus !

– Et si on n'en peut plus, protesta Klaus, c'est qu'on court le marathon toutes les nuits !

– Galuka ! renchérit Prunille, autrement dit : « Alors, prenez-vous-en à votre Gengis, pas à nous ! »

Le proviseur adjoint glapit avec délectation.

*– Si on travaille mal en classe, c'est qu'on n'en peut plus ! Et si on n'en peut plus, c'est qu'on court le marathon toutes les nuits ! Galuka !*

Puis il respira un grand coup, et tempêta :

– Enfants Baudelaire, j'en ai assez de vos coquecigrues ! L'Institut J. Alfred Prufrock vous a promis une excellente éducation. Si vous ne vous laissez pas excellemment éduquer – ou, dans le cas de Prunille, excellemment former aux tâches administratives –, il n'est pas question pour nous de vous garder ! Est-ce clair ? Bien. J'ai ordonné à Mme Alose et à Mr Remora de vous soumettre demain à un contrôle des connaissances archicomplet. Violette, tu as intérêt à te rappeler chaque détail de chaque histoire de Mr Remora, et toi, Klaus, tu as intérêt à te rappeler la longueur, la largeur et le travers de chacun des objets de Mme Alose ! Sans quoi c'est le renvoi immédiat. De même, j'ai réuni un stock de papiers à agrafer demain sans faute. Prunille, tu les agraferas jusqu'au dernier, avec des agrafes faites main, sans quoi tu es congédiée sur-le-champ. Donc, dès demain, à la première heure, tests de contrôle et d'agrafage. Si vous échouez à l'un ou à l'autre, vous pouvez faire vos valises. Et encore, vous avez de la chance : en cas de renvoi, ce bon Mr Gengis a offert de se charger entièrement de votre éducation. Autrement dit, il vous prendra chez lui et sera à la fois votre entraîneur sportif, votre précepteur, votre tuteur. C'est infiniment généreux à lui, et si j'étais vous je lui donnerais un petit quelque chose en remerciement, à lui aussi. Quoique sans doute pas des boucles d'oreilles.

– Remercier le comte Olaf ? s'étrangla Violette. Et puis quoi encore ?

Klaus sursauta, horrifié.

– Ma sœur veut dire : « Remercier *Mr Gengis* », rectifia-t-il en toute hâte.

– Absolument pas ! protesta Violette. Klaus, tu sais, au point où on en est, plus la peine de faire semblant.

– Hijou, approuva Prunille.

– Bon, peut-être, admit Klaus. Au fond, qu'est-ce qu'on a à perdre ?

– *Au fond, qu'est-ce qu'on a à perdre ?* singea Mr Nero. Mais de quoi parlez-vous, vous autres ?

– De Mr Gengis, dit Violette. En vrai, il ne s'appelle pas Gengis. Et il n'est pas prof de gym non plus. En vrai, c'est le comte Olaf déguisé.

– Balivernes ! s'écria Mr Nero.

*Balivernes !* faillit lancer Klaus, mais ce n'était sans doute pas le moment.

– C'est la vérité, dit-il à la place. Il a mis un turban pour cacher ses sourcils soudés, et des baskets chicos pour cacher son tatouage, mais n'empêche, c'est le comte Olaf.

Le proviseur adjoint poussa un soupir excédé.

– Son turban, Mr Gengis le porte par conviction religieuse, et ses baskets, pour enseigner les sports. Tenez, regardez donc, un peu. (Il se tourna vers son ordinateur et pressa un bouton. L'écran papillota un instant, puis un portrait-robot du comte Olaf apparut.) Voyez ? Mr Gengis ne ressemble en rien à votre comte Olaf, la preuve.

– Ouchilo ! objecta Prunille, autrement dit : « Ça ne prouve rien ! »

– *Ouchilo !* singea Mr Nero. Et à quoi croyez-vous que je vais me fier ? À un système informatique de pointe ou aux dires de petits loubards qui ne fichent rien en classe ni au bureau ? Bon, et maintenant, suffit. Vous m'avez fait perdre assez de temps ! Demain, je surveillerai en personne ces tests de contrôle, qui se dérouleront dans l'annexe aux orphelins. Et vous avez intérêt à briller. Sans quoi, du balai, et bonne chance à Mr Gengis ! Allez, *sayonara*, enfants Baudelaire !

*Sayonara*, vous le savez peut-être, signifie « au revoir » en japonais, et les quelque cent vingt-cinq millions de citoyens du Japon seraient sans doute ennuyés d'entendre un personnage aussi révoltant utiliser un mot de leur langue. Mais les orphelins Baudelaire ne se demandèrent même pas ce que signifiait *sayonara*. Ils étaient trop pressés d'aller tout raconter à leurs amis, au pied de la bâtisse.

– Contrôle de connaissances ? s'alarma Duncan, tandis qu'ils traversaient la pelouse pour aller discuter plus loin. C'est la catastrophe ! Vous n'avez aucune chance de réussir, pas en courant toute la nuit.

– Il exagère ! renchérit Isadora. Comment pourriez-vous fabriquer ces agrafes ? Gengis va se charger de vous, c'est couru d'avance !

– Se charger de nous, façon de parler, murmura Violette, les yeux sur le terrain de sport. Tu ne comprends donc pas ? Voilà pourquoi il nous a fait courir toutes les nuits. Il le savait, que nous n'en pourrions plus. Il le savait, que nous allions devenir nuls. Il le savait, qu'on nous mettrait à la porte de Prufrock et qu'il n'aurait plus qu'à nous cueillir. Ensuite, il se débarrassera de nous, et à lui l'héritage !

– Oui, dit Klaus, amer. On attendait de comprendre ce qu'il cherchait à faire. Maintenant voilà, on a compris. Mais il est sans doute trop tard.

– Trop tard, non ! résolut Violette. Le contrôle, c'est demain matin. D'ici là, on trouvera bien un plan.

– Plan ! approuva Prunille.

– Oui, et un plan très sioux, dit Duncan. Récapitulons. Il faut : un, préparer Violette au contrôle de Mr Remora ; deux, préparer Klaus au contrôle de Mme Alose…

– Et trois, fabriquer des agrafes, compléta Isadora. Sans compter que les Baudelaire doivent courir, cette nuit.

– Et rester éveillés, conclut Klaus.

Les cinq enfants se turent. Le soleil était au plus haut, mais il ne tarderait pas à redescendre derrière les grands bâtiments, et l'heure de l'entraînement reviendrait vite.

Il n'y avait pas un instant à perdre. Violette attacha ses cheveux pour se dégager les yeux. Klaus essuya ses lunettes et se les remit sur le nez. Prunille fit crisser ses petites dents pour vérifier leur tranchant. Et les deux triplés sortirent de leurs poches carnet vert et carnet noir.

La lumière de l'expérience avait fini par rendre très claire la stratégie de l'adversaire. À présent, à cette lumière-là, les enfants devaient à leur tour inventer *leur* stratégie.

Chapitre X

Les enfants Baudelaire et Beauxdraps étaient
assis sur le foin de la cabane, local nettement
moins détestable qu'au début du présent récit.
Grâce aux patins anti-crabes, les crustacés
n'étaient nulle part en vue. Grâce au sel, les moisissures coulantes étaient ré-
duites à l'état de croûtes beiges,
certes assez peu réjouissantes à
voir, mais qui ne larguaient plus

de gouttelettes douteuses avec des *plop* suggestifs. L'arrivée du pseudo-Gengis ayant, hélas ! mobilisé les énergies, rien n'avait encore été fait pour ces murs verts à cœurs roses, mais, dans l'ensemble, la petite annexe était un peu moins montagne et un peu plus taupinière qu'à l'arrivée des enfants Baudelaire. La dire confortable et pimpante aurait été exagéré, mais pour une réunion de crise elle faisait parfaitement l'affaire.

Et crise il y avait, gravissime. Si Violette, Klaus et Prunille couraient le marathon toute la nuit, ils couraient à l'échec le lendemain. Ils allaient être bien trop fourbus pour briller en quoi que ce fût ; donc, c'était le renvoi assuré, et Gengis allait se charger d'eux à sa manière. À cette pensée, ils sentaient déjà ses vilaines pattes dans leur cou. Quant à Isadora et Duncan, ils se tourmentaient si fort qu'eux aussi avaient l'impression de sentir ses griffes sur leur nuque. Pourtant ils n'étaient pas directement menacés – du moins ils ne croyaient pas l'être.

– Trop bête qu'il nous ait fallu tout ce temps pour deviner ce que tramait ce monstre ! enrageait

Isadora, feuilletant son gros carnet noir. Duncan et moi, pourtant, on a fait des tonnes de recherches. Mais franchement, on n'avait aucune idée…

– Ce n'est pas ta faute, tu sais, la consola Klaus. Le comte Olaf, nous trois, on a déjà eu affaire à lui pas mal de fois. Et c'est toujours pareil : impossible de lire dans son jeu, tellement ses coups sont tordus.

– Précisément, expliqua Duncan, ce qu'on essayait de faire, Isadora et moi, c'était retracer tout le passé du comte Olaf. À la bibli, il y a une sacrée collection de vieux journaux, et on s'était dit qu'en décortiquant ses anciens coups tordus, on arriverait peut-être à démêler en quoi consistait celui-ci.

Klaus parut songeur.

– Pas bête, comme idée. Jamais pensé à ça.

– Pour commencer, on s'est dit que Face-de-rat avait sûrement commis des méfaits avant de vous connaître, poursuivit Duncan, alors on a cherché dans les faits divers. Seulement, c'est assez compliqué de le repérer dans la presse parce que, comme vous le savez, il change de nom à chaque fois. N'empêche, on a quand même trouvé, dans *La Gazette de Bangkok*, un malfrat qui correspond bien à sa description. Arrêté pour avoir étranglé un évêque, évadé de prison dix minutes après y être entré.

— Ça lui ressemble drôlement, dit Klaus.

— Et aussi, dans *Le Courrier de Vérone*, on a trouvé l'histoire d'un bonhomme qui a précipité une veuve très riche du haut d'une falaise. Il avait un œil tatoué sur la cheville, mais il a échappé à la police. Mais surtout, dans un grand quotidien de votre ville, on a trouvé un article...

— Navrée de vous bousculer, coupa Isadora, mais je crois qu'il vaudrait mieux laisser le passé de côté et nous occuper un peu du présent. L'après-midi ne va pas être éternel, il nous faut un plan d'action.

Klaus se tourna vers sa sœur aînée, silencieuse depuis quelques minutes.

— Tu dors à moitié ? Ou aux trois quarts ?

– Pas du tout. Je me concentre. J'essaie de trouver comment fabriquer les agrafes de Prunille. Le problème, c'est de tout faire à la fois : les agrafes et les révisions pour le contrôle de demain. Depuis huit jours, j'ai dû prendre quatre notes sur les histoires de Mr Remora. Je vois mal comment je pourrais répondre à toutes ses questions.

Duncan dégaina son carnet vert.

– Pas de problème ! Moi, j'ai tout noté en entier, jusqu'au détail le plus barbifiant. D'accord, j'écris en abrégé, mais c'est quand même facile à lire.

Isadora brandit son carnet noir.

– Et moi, j'ai tout noté aussi sur les objets de Mme Alose, longueur, largeur, profondeur, diamètre et *tutti quanti*. Tu n'auras qu'à potasser mes notes, Klaus ! Et Violette potassera celles de Duncan.

– Merci, c'est gentil, répondit Klaus. Il y a juste un détail qui coince. Gengis va nous faire courir toute la nuit. Potasser, on n'aura jamais le temps.

– Tracour, fit Prunille, autrement dit : « Tout le problème est là. L'entraînement dure jusqu'à l'aube, et le contrôle a lieu demain matin aux aurores. »

– Si seulement on pouvait se faire aider par l'un des plus grands inventeurs du monde ! soupira Violette. Je me demande bien ce qu'aurait fait Léonard de Vinci à notre place.

– Ou se faire aider par l'un des plus grands journalistes du monde, soupira Duncan. Je me demande bien ce qu'aurait fait Jack London.

– Et moi, ce qu'aurait fait le grand poète lord Byron, soupira Isadora.

– Et moi, ce qu'aurait fait Hammourabi, soupira Klaus. C'était un roi de Babylone, mais aussi l'un des plus grands chercheurs de tous les temps.

– Reukin, soupira Prunille, et elle serra les dents, pensive.

– Qui sait ce qu'auraient fait ces gens ou ce squale, à notre place ? dit Violette. Qui peut savoir ce qu'ils auraient fait, s'ils avaient été dans nos baskets ?

Et là, Duncan fit claquer ses doigts. Pas pour appeler un serveur ni pour marquer le tempo d'une samba, mais parce qu'il lui venait une idée.

– Dans nos baskets : ben voilà !

– Voilà quoi ? demandèrent en chœur Violette, Klaus et Isadora.

– Abouka ? demanda Prunille, mais sa voix fut couverte par les trois autres.

– Une idée, répondit Duncan. C'est toi qui viens de me la souffler, Violette, avec ton histoire de baskets. Si on se mettait dans vos baskets, justement, Isadora et moi ? À votre place, autrement dit ? Ce soir, pour l'entraînement ? À condition de nous déguiser un peu – de nous déguiser en *vous* –, je suis sûr qu'on doit pouvoir prendre votre place. Et vous, pendant ce temps-là, vous pourrez bûcher pour le contrôle de demain !

Klaus leva les sourcils.

– Vous déguiser en *nous* ? Tu crois que vous nous ressemblez ?

– Et alors ? Il fera noir. On vous a regardés courir, toutes ces nuits. Je peux te dire, tout ce qu'on voyait, c'était deux vagues silhouettes qui se déplaçaient et une troisième, minuscule, qui se traînait par-derrière.

– Exact, confirma Isadora. Si tu me passes ton ruban, Violette, et si Duncan prend les lunettes de Klaus, parions qu'on vous ressemblera assez pour que Gengis n'y voie que du feu.

– On peut même échanger nos baskets, proposa Duncan. Pour que le bruit soit tout à fait le même.

– Oui, mais... et Prunille ? objecta Violette. Je vois mal comment deux personnes pourraient se déguiser en trois.

Les enfants Beauxdraps s'assombrirent.

– Si seulement Petipa était là, murmura Duncan. Je suis sûr qu'il aurait été prêt à se déguiser en bébé. Du moment que c'était pour rendre service...

– Et pourquoi pas un sac de farine ? suggéra Isadora. Prunille est à peu près du même format ; sans vouloir te vexer, Prunille.

– Denada, fit Prunille, l'esprit large.

– Un sac de farine, enchaîna Isadora, on doit pouvoir piquer ça aux cuisines, derrière le réfectoire. On n'aurait plus qu'à le traîner derrière nous en courant. De loin, ça devrait ressembler suffisamment à Prunille pour donner le change sans problème.

Mais Violette hésitait.

– Ça me paraît bien risqué, quand même. Si ça rate, bonjour les dégâts ! Et pas seulement pour nous : pour vous deux tout pareil ! Qui sait ce que Face-de-rat est capable de vous faire ?

Cette grave question, par la suite, les orphelins Baudelaire devraient se la poser bien des fois. Mais les enfants Beauxdraps la balayèrent d'un revers de main.

– Vous en faites pas pour ça, dit Duncan. L'important, c'est de vous tirer de là. Risqué, ça l'est, d'accord. Mais quelqu'un a une meilleure idée ?

– Non, et le temps manque pour en chercher une autre, ajouta Isadora. Je dirais même : on ferait bien d'aller piquer ce sac de farine rapidos, si on veut arriver à l'heure en classe.

– Sans oublier un bout de ficelle, rappela Duncan, pour traîner ce sac derrière nous.

– Et moi, dit Violette, il faut que je déniche en

plus deux ou trois matériaux, pour mon truc à fabriquer des agrafes.

– Nidop, conclut Prunille, autrement dit : « Exécution ! »

Les cinq enfants ressortirent de la cabane et retirèrent leurs patins à bruit, contre-indiqués pour une opération chapardage. Ils traversèrent la pelouse en direction du réfectoire, les jambes molles et le cœur battant la chamade, comme lorsqu'on n'en mène pas large. Et le fait est qu'ils n'en menaient pas large. D'abord parce qu'ils n'étaient pas censés s'introduire dans les cuisines, et encore moins y chiper des choses ; mais aussi, tout simplement, parce que leur plan était risqué.

C'est une sensation déplaisante que de ne pas en mener large, et je ne souhaite à personne d'en mener aussi étroit que les cinq orphelins, ce jour-là, à l'approche du réfectoire. Pourtant, autant le dire tout de suite, ils en menaient trop large encore. Oh ! pour leur petit cambriolage, pas de problème ; d'ailleurs ils ne furent pas pris. Non, c'est pour la suite de leur plan qu'ils auraient dû en mener moins large – et réfléchir à ce qui allait se passer, le soir, quand la piste luirait vert sur la pelouse assombrie. Ils auraient dû en mener dix fois moins large encore, et trembler en songeant à ce qui allait se passer lorsque chacun serait dans les baskets de l'autre.

Chapitre XI

S'il vous est arrivé de vous déguiser, pour un carnaval, par exemple, ou pour Halloween, vous connaissez le petit frisson qu'on éprouve en enfilant son costume. En fait, l'excitation est double : il y a le plaisir de se cacher, bien sûr, mais aussi, un peu, celui du risque.

J'ai participé un jour à l'un des fameux bals masqués de la duchesse de Winnipeg, et ce fut l'une des soirées les plus excitantes et les plus dangereuses de ma vie. J'étais déguisé en toréro et je m'étais glissé parmi les invités pour échapper aux gardes du palais, déguisés en scorpions. Soudain, en entrant dans la salle de bal, j'eus la sensation déroutante que Lemony Snicket n'existait plus ! Je portais un costume inédit pour moi – cape de soie rouge, veste brodée d'or, loup noir sur les yeux – et cette tenue me donnait l'impression d'être un autre.

C'est ainsi que j'osai approcher une femme que, pourtant, on m'avait interdit d'approcher jusqu'à la fin de mes jours. Elle était accoudée, solitaire, à la balustrade d'un balcon couvert (pardon, d'une *loggia*, lorsqu'il y a tant de marbre on dit une *loggia*) et déguisée en libellule, avec un masque vert scintillant et d'immenses ailes argentées. Et moi, tandis que les scorpions faisaient irruption dans la salle de bal, bien décidés à découvrir lequel des invités était moi, je me suis coulé auprès d'elle pour lui transmettre le message que je tentais de lui faire parvenir depuis quinze ans, quinze longues années de solitude.

– Beatrice ! m'écriai-je, juste comme les scorpions venaient de me repérer. Beatrice, le comte Olaf est

Rien à faire. Pas moyen de poursuivre. Chaque fois que je songe à cette soirée et à la sombre période qui suivit, je me remets à sangloter malgré moi. De toute manière, j'en suis certain, il vous tarde de savoir ce qui arriva ce soir-là, après dîner, à l'Institut J. Alfred Prufrock.

– C'est un peu excitant, vous ne trouvez pas ? dit Duncan en se calant les lunettes de Klaus sur le nez. Je sais, la situation n'a rien de drôle. Mais je suis quand même un peu excité.

Et, tout en nouant dans ses cheveux le ruban mauve de Violette, Isadora déclama :

*Se déguiser n'est pas prudent,*
*Mais c'est sacrément amusant.*

LES DÉSASTREUSES AVENTURES DES ORPHELINS BAUDELAIRE

– Je sais, ajouta-t-elle, on fait mieux, comme poème. Mais ça suffira pour l'occasion. À votre avis, on a l'air de quoi ?

Les enfants Baudelaire reculèrent afin d'inspecter leurs amis. Le dîner venait de s'achever et les cinq enfants, derrière la cabane, se hâtaient de mettre leur plan en action. Profitant d'un instant d'inattention des serveuses, ils avaient emprunté aux cuisines un sac de farine du format de Prunille, et Violette avait subtilisé aussi une fourchette, un fond d'épinards à la crème dans un ramequin et une petite pomme de terre crue, fournitures indispensables à l'invention qu'elle avait en tête.

Il ne restait que deux ou trois minutes avant l'instant fatidique où les Baudelaire – ou plutôt les Beauxdraps déguisés – allaient devoir gagner le terrain de sport pour leur entraînement nocturne. Isadora et Duncan tendirent leurs carnets de notes à Klaus et Violette, et tous les quatre procédèrent gravement à l'échange de baskets. Après quoi, dans la poignée de secondes qui restait, les enfants Baudelaire examinèrent leurs amis déguisés en

Baudelaire… et comprirent immédiatement combien leur plan était risqué.

Isadora et Duncan Beauxdraps ne ressemblaient tout simplement pas à Violette et Klaus Baudelaire. Les yeux de Duncan n'étaient pas de la même teinte que ceux de Klaus et les cheveux d'Isadora n'avaient rien à voir avec ceux de Violette, même attachés de façon identique. Nés le même jour, les jeunes Beauxdraps étaient à peu près de la même taille, alors que Violette Baudelaire dépassait nettement son frère, forte de ses dix-huit mois d'aînesse. Il était beaucoup trop tard pour tenter quelques ajustements, et cela n'aurait servi à rien de toute manière. Car ce n'étaient pas ces menus détails qui rendaient le déguisement peu crédible. C'était le simple fait que les Baudelaire n'étaient pas les Beauxdraps et vice versa, et qu'une paire de lunettes, un ruban, des baskets n'y changeaient strictement rien – pas plus qu'un déguisement ne change une jeune femme en libellule capable d'ouvrir grand ses ailes et d'échapper à un sort funeste.

– Je sais, nous ne vous ressemblons pas trop, reconnut Duncan en réponse au silence de ses amis. Mais n'oubliez pas, il va faire noir, là-bas, sur la pelouse. La seule lumière sera celle de la piste. On courra tête baissée, pour qu'il ne voie pas nos visages. Et on gardera bouche cousue, pour qu'il n'entende pas nos voix. Le ruban, les lunettes et les baskets feront le reste.

– On n'est pas obligés de faire ça, murmura Violette. On peut très bien tout annuler. Merci d'avoir voulu nous aider, mais il vaut sans doute mieux ne pas essayer de rouler Gengis. Non, le plus simple serait qu'on s'enfuie tous les trois, là, maintenant, tout de suite. Pour ce qui est de courir, on a l'entraînement. On pourrait déjà prendre une bonne avance…

– Et ensuite on appellerait Mr Poe d'une cabine quelque part, compléta Klaus.

– Zoubou, suggéra Prunille, autrement dit : « Et on s'inscrirait dans un autre collège, sous d'autres noms. »

– Vous croyez que ça marcherait ? objecta Isadora.

D'après ce que vous nous avez dit, Mr Poe n'est jamais d'un grand secours. Et le comte Olaf, apparemment, vous retrouve toujours et partout ; donc un autre collège n'y changerait rien non plus.

– Non, renchérit Duncan, on fait comme on a dit. C'est votre seule chance. Si vous passez les tests haut la main, vous serez tirés d'affaire. À ce moment-là, il n'y aura plus qu'à trouver le moyen de démasquer Gengis vite fait.

– Tu as raison, j'imagine, concéda Violette. Simplement, je n'aime pas vous voir prendre des risques aussi énormes rien que pour nous venir en aide.

– À ton avis, dit Isadora, ça sert à quoi, les amis ? Tu nous vois assister à un concert stupide pendant que vous courez à votre perte ? Vous avez été les premiers, dans ce collège, à ne pas nous snober parce que nous sommes orphelins. Aucun de nous cinq n'a plus de famille, autant nous serrer les coudes.

– En tout cas, décida Klaus, on vous accompagne jusqu'à l'arche, et on garde l'œil sur vous le temps d'être bien certains que Gengis n'y voit que du feu.

Duncan l'arrêta d'un geste.

– Ridicule ! Vous n'avez pas le temps. La nuit ne sera pas de trop pour fabriquer ces agrafes et bûcher pour le contrôle de demain.

– Oh ! se souvint Isadora. Et la ficelle ? On a oublié la ficelle ! Il nous faut quelque chose pour traîner ce sac de farine.

– On pourrait peut-être le faire avancer à coups de pied, suggéra Duncan.

– Surtout pas, dit Klaus. Si Gengis vous voit flanquer des coups de pied à votre petite sœur, il se doutera qu'il y a anguille sous roche.

– Je sais ! s'écria Violette.

Elle se planta devant Duncan et, du bout des doigts, saisit le bas de son pull, comme pour en retirer une herbe ou une peluche. Mais elle n'avait saisi qu'une maille un peu lâche et, avec soin, elle détricota deux ou trois rangs de pull. Sitôt qu'elle eut en main la longueur nécessaire, elle cassa le fil de laine d'un coup sec et en noua un bout autour du sac de farine. Elle tendit l'autre bout à Duncan.

– Voilà. Ça devrait faire l'affaire. Navrée pour ton pull.

– Pas grave, répondit Duncan. Tu sauras bien nous inventer une machine à retricoter, une fois qu'on sera sortis de ce pétrin. Bon, et maintenant, Isa, faut qu'on y aille. Gengis nous attend. Bossez bien, vous autres !

– Bonne chance et bonnes jambes ! leur dit Klaus.

Violette et Prunille avalèrent leur salive.

Et tous trois regardèrent leurs amis tourner les talons dans la nuit tombante. Ils songeaient à la dernière fois qu'ils avaient vu leurs parents, avant de partir pour la plage. Ils n'avaient pas su, alors, que c'était la dernière image qu'ils auraient d'eux, et bien des fois, depuis, chacun était revenu sur ce dernier instant, regrettant de n'avoir dit qu'un léger « à tout à l'heure ! ». Et tous trois, à présent, espéraient en silence n'être pas en train de vivre un instant du même genre, un de ces instants où ceux que vous aimez s'apprêtent à déserter votre vie, sans retour et sans préavis.

Et si justement… ?

– Si nous ne… commença Violette, puis elle s'éclaircit la voix et reprit. S'il arrivait quelq…

Duncan se retourna, lui saisit les deux mains et la regarda droit dans les yeux, d'un beau regard immense et grave derrière les lunettes de Klaus.

– Il n'arrivera rien, dit-il d'un ton ferme – sans deviner à quel point il se trompait. Il n'arrivera rien du tout. À demain matin, vous trois.

Isadora acquiesça, solennelle, puis elle suivit son frère et le sac de farine. Depuis le seuil de la cabane, les orphelins Baudelaire les regardèrent s'éloigner en direction du terrain de sport, jusqu'à ce qu'il n'y eût plus rien à voir que deux points clairs dans le soir tombant, traînant un point clair plus petit.

– Finalement, murmura Klaus, à cette heure-ci, vus de loin, ils nous ressemblent pas mal, au fond.

– Abax, approuva Prunille.

– Espérons-le, dit Violette. Espérons-le. Mais maintenant nous ferions mieux de nous attaquer à *notre* partie du programme. Chaussons nos patins à bruit et rentrons.

– Je me demande comment tu comptes t'y prendre pour confectionner ces agrafes, dit Klaus. Une fourchette, une boulette d'épinards froids, une petite pomme de terre… Avec ces ingrédients, on s'attendrait plutôt à voir sortir une soupe. J'espère que le manque de sommeil n'a pas détraqué ton génie inventif.

– Je ne pense pas. Tu vas voir. C'est fou les ressources qu'on se découvre une fois qu'on est bien décidé. D'ailleurs, je ne vais pas me contenter des petits trucs que j'ai piqués au réfectoire. Il va me falloir aussi un crabe et nos patins à bruit. Bon, et maintenant, dès que vous êtes chaussés, soyez gentils : faites comme je dis.

Klaus et Prunille obéirent sans un mot. Ils étaient un peu perplexes, mais savaient depuis longtemps que leur aînée, en matière d'inventions, était digne d'une confiance absolue. N'avait-elle pas, récemment, bricolé avec succès un grappin, un rossignol et un système d'alarme performant, le tout à partir de trois fois rien ? Il était clair que quatre fois rien lui suffisaient amplement pour bricoler une machine à fabriquer des agrafes.

Les trois enfants chaussèrent leurs patins et pénétrèrent dans la cabane. Comme toujours en leur absence, les petits crabes prenaient du bon temps, profitant de ces moments où ils avaient leur royaume tout à eux et merveilleusement silencieux. D'ordinaire, le trio entrait à grand bruit, et les crissements du métal sur le ciment faisaient disparaître les crabes dans leurs cachettes. Mais ce soir-là, sous la direction de Violette, les trois enfants exécutèrent une savante manœuvre pour coincer dans un angle le plus gros et le plus agressif de toute la bande. Tandis que les autres s'éclipsaient, le crabe costaud se retrouva acculé, terrorisé par le tintamarre mais sans nulle part où se cacher.

– Parfait, déclara Violette. Et maintenant, Prunille, tu veux bien l'empêcher de s'échapper pendant que je prépare la pomme de terre ?

– Elle est pour quoi faire, cette pomme de terre ? s'enquit Klaus.

– Comme nous l'avons remarqué, expliqua Violette tandis que Prunille crissait du pied pour dissuader le crabe de s'évader, ces bestioles adorent nous pincer les orteils. Regardez la pomme de terre que j'ai choisie : toute recourbée, ratatinée, avec cette espèce de petite bosse au bout. On jurerait un orteil, non ?

– Si, absolument, reconnut Klaus. Un orteil juste un peu sale. Mais quel rapport avec les agrafes ?

– Voilà. Ces fils de fer que nous a fournis Néron sont trop longs, il faut commencer par les débiter en petits bouts de la longueur voulue. Prunille va empêcher le crabe d'aller voir ailleurs, et moi je vais lui brandir sous le nez l'orteil en pomme de terre. Et lui – ou peut-être elle, je n'ai aucune idée de la façon dont on distingue un crabe d'une crabesse…

– C'est *un* crabe, assura Klaus. Crois-moi.

– Bref, lui va croire que c'est un orteil et essayer de le pincer de toutes ses forces. Mais moi, à ce moment-là, yank ! j'enlèverai la pomme de terre pour mettre le fil de fer à la place. Si je m'y prends bien, le crabe va sectionner le fil de fer juste là où il faut.

— Et ensuite ? demanda Klaus.

— Chaque chose en son temps, répondit Violette d'un ton ferme. Très bien, Prunille. Tu continues, s'il te plaît. J'arrive avec la pomme de terre et le fil de fer numéro un.

— Et moi ? s'informa Klaus. Qu'est-ce que je fais ?

— Toi, tu t'attaques aux révisions. Et là, j'ai besoin de toi, imagine-toi. Je vois mal comment je pourrais à la fois lire et fabriquer des agrafes, alors voilà ce que tu vas faire : pendant que Prunille et moi bossons avec ce crabe, toi, tu lis les carnets. Tu te fourres dans le crâne toutes les mesures de Mme Alose, et ensuite tu fourreras dans le mien toutes les histoires de Mr Remora. Vu ?

— Roger, dit Klaus sobrement.

Ce qui ne signifiait pas, vous le savez sans doute, qu'un certain Roger venait d'entrer dans la cabane, mais que Klaus avait dévoré des récits d'aventures avec communications radio, talkie-walkie et compagnie, et qu'il aimait cette façon de dire : « Compris. On fait comme ça. »

Et ainsi fut fait. Durant trois heures, Prunille fit crisser ses semelles si horriblement que le crabe ne put déserter son poste. Violette joua si bien de sa patate-orteil, et le crabe joua si bien de ses pinces coupantes que tout le fil de fer fut débité à la longueur voulue. Et Klaus lut si attentivement le carnet d'Isadora (en clignant un peu des yeux, ses lunettes étant sur le nez de Duncan) qu'il se grava en mémoire toutes les dimensions griffonnées dedans.

– Violette, s'il te plaît, dit-il soudain, retournant le carnet à l'envers pour ne pas tricher. Demande-moi les dimensions du cache-nez bleu marine.

Violette retira sa patate-orteil juste à temps, et le crabe sectionna le fil de fer juste au bon endroit.

– Quelles sont les dimensions du cache-nez bleu marine ? demanda Violette.

– Cent vingt centimètres de long, dix-huit centimètres de large, zéro virgule quatre centimètres d'épaisseur, récita Klaus. Sans aucun intérêt, mais exact. Prunille, s'il te plaît, demande-moi les dimensions du savon déodorant au sassafras.

Le crabe crut y voir l'occasion de filer, mais Prunille veillait.

– Safra ? demanda la petite à son frère tout en faisant grincer ses semelles.

– Huit centimètres sur huit centimètres sur huit centimètres. Facile. Dites donc, vous avez drôlement avancé, vous deux. Je parie que ce crabe est à peu près aussi vanné que nous.

– Il s'en remettra, répondit Violette. De toute manière, c'est terminé pour lui. Laisse-le filer, Prunille. Nous avons ce qu'il nous faut. Bon sang, pas fâchée que cette partie du travail se termine ! Feinter un crabe, c'est tuant.

– Et maintenant ? s'informa Klaus, suivant des yeux le crustacé qui prenait le large ou plutôt le travers, loin de la pire frayeur de sa vie.

– Maintenant, tu lis les notes de Duncan et tu m'en fais un condensé facile à m'enfoncer dans le crâne, pendant que Prunille et moi plions ces petits fils de fer en agrafes prêtes à l'emploi.

– Chablo ? fit Prunille, ce qui signifiait, en gros : « Et comment on va faire ? »

– Regarde, lui dit Violette.

Et Prunille regarda. Tandis que Klaus troquait le carnet noir d'Isadora contre le carnet vert de Duncan et feuilletait celui-ci pour y retrouver les bonnes pages, Violette prit la boulette d'épinards, elle l'épaissit d'une pincée de poussière et la pétrit consciencieusement jusqu'à obtenir une masse gluante infâme. Puis elle piqua les dents de la fourchette dans cette boule poisseuse et, d'une main résolue, planta le tout dans une botte de foin, ne laissant dépasser que le manche de la fourchette.

– Toujours pensé, dit-elle en soufflant sur le point de collage pour le faire durcir, que les épinards du collège pouvaient faire une colle à toute épreuve. Et maintenant, regardez : nous avons l'outil rêvé pour transformer ces petits fils de fer en agrafes. J'en place un à cheval sur le manche de la fourchette et, avec mes patins en guise de marteau, je replie les bouts qui dépassent... Et voilà ! Une agrafe parfaite. Vu ?

– Djaïba ! s'extasia Prunille, autrement dit : « Génial ! Mais qu'est-ce que je fais, moi, pour aider ? »

– Toi, tu continues à faire du bruit pour tenir les crabes en respect. Et toi, Klaus, tu commences à me résumer ces histoires.

– Roger, fit Prunille.

– Roger, fit Klaus, tous deux signalant par là qu'ils avaient reçu le message et qu'ils allaient agir en conséquence.

Et les trois enfants Baudelaire agirent en conséquence durant tout le reste de la nuit. Violette confectionna des agrafes, Klaus lut à voix haute les histoires de Mr Remora, Prunille fit grincer ses semelles. Le petit tas d'agrafes s'élevait, les histoires de Mr Remora se gravaient sous les crânes, et pas un crabe n'osait montrer le bout de ses pinces. Tant et si bien que, pour finir, malgré la menace olafienne suspendue au-dessus de leurs têtes, les enfants finirent par trouver la veillée presque douce.

Elle leur rappelait les veillées du vivant de leurs parents, dans les salons de la grande demeure Baudelaire. Le plus souvent Violette bricolait, absorbée par quelque invention ; le plus souvent Klaus lisait, prêt à faire partager à voix haute un passage intéressant ; le plus souvent Prunille faisait des bruits, d'ordinaire en rongeant un objet dur. Certes, les inventions de Violette n'étaient jamais vitales, les lectures de Klaus n'étaient jamais assommantes, les bruits de Prunille jamais destinés à terroriser des crabes. La situation n'était donc comparable que de très loin. Pourtant, à mesure qu'avançait la nuit, les enfants Baudelaire finirent par se sentir presque chez eux dans la cabane.

Et, lorsque pointa le petit jour, il sentirent pointer aussi comme un soupçon d'excitation, une excitation toute différente de celle qui naît d'un déguisement. C'était une forme d'excitation que je n'ai jamais connue pour ma part, une forme d'excitation peu familière aux enfants Baudelaire. Mais ce matin-là, à l'aube, ils la ressentirent très nettement : c'était l'excitation de se dire que peut-être leur stratagème allait marcher, que peut-être ils allaient l'emporter – vaincre Gengis et, pour finir, retrouver un bonheur tranquille, presque aussi doux et paisible que les veillées de naguère.

Chapitre XII

**P**résumer est une activité risquée – presque autant que sauter à l'élastique. La moindre erreur d'estimation, et c'est le désastre assuré.

Présumer, c'est estimer que les choses ont toutes les chances d'être comme ci, ou comme ça, alors que rien ne permet de l'assurer. On voit à quelles

catastrophes peuvent mener les présomptions fausses. Par exemple, un matin au réveil, vous présumez que votre lit est à sa place habituelle, bien qu'il fasse encore noir et que rien ne prouve que tel est le cas. Si vous sautez à bas du lit et si justement, durant la nuit, votre lit a été emporté par les flots et dérive à présent au large, vous voilà dans de beaux draps. Tout cela à cause d'une présomption erronée. Comme quoi il vaut toujours mieux ne pas trop présumer, en particulier le matin.

Pourtant, ce matin-là, celui du grand contrôle, les orphelins Baudelaire étaient si fatigués, après toute une nuit à étudier et à fabriquer des agrafes (sans parler de neuf nuits à marathonner), qu'ils se laissèrent aller à échafauder des présomptions – dont toutes, jusqu'à la dernière, se révélèrent incorrectes.

– Et voilà ! s'écria Violette en étirant ses muscles las. La dernière agrafe ! Je crois que nous pouvons présumer, sans grand risque de nous tromper, que Prunille va conserver son emploi.

– Oui, dit Klaus en se frottant les yeux. Et toi, tu m'as l'air de savoir par cœur les histoires de Mr Remora, aussi sûrement que moi les mesures de Mme Alose. Je crois que nous pouvons présumer, sans grand risque de nous tromper, que nous n'allons pas être renvoyés.

– Niliko, bâilla Prunille, autrement dit : « Et nous n'avons pas vu… les triplés Beauxdraps, donc je crois que nous pouvons présumer, sans grand risque de nous tromper, que tout s'est bien passé de leur côté. »

– Très juste, dit Klaus. S'ils avaient été pris, je présume, nous serions au courant, maintenant.

– Je présume exactement la même chose, dit Violette.

– *Je présume exactement la même chose*, fit une voix de perroquet.

Et les enfants, avec un sursaut, découvrirent le proviseur adjoint dans leur dos, une brassée de papiers calée sous le menton. En plus des présomptions qu'ils venaient d'énoncer à voix haute, les orphelins avaient fait celle qu'ils étaient seuls, aussi furent-ils surpris de découvrir non seulement Mr Nero, mais encore Mr Remora et Mme Alose à l'entrée de la cabane.

– J'espère que vous avez bien révisé, hier soir, annonça le proviseur adjoint, car j'ai demandé à vos professeurs de préparer des questions particulièrement ardues. Et les liasses de papier que va devoir agrafer la petite sont particulièrement épaisses. Bien, ne perdons pas de temps. Mr Remora et Mme Alose vont vous interroger tour à tour jusqu'à ce que l'un de vous donne une réponse fausse ; à ce moment-là, vous serez renvoyés. Quant à Prunille, elle va s'asseoir au fond pour agrafer ces liasses et, si les agrafes que je vois là ne font pas du bon travail, vous êtes renvoyés tous les trois. Allons-y ! Un génie musical n'a pas toute la journée à perdre en surveillance d'examens. Top chrono !

Il jeta ses papiers sur une botte de foin et l'agrafeuse à côté. Aussitôt Prunille, plus vive qu'une crevette, se rua dessus à quatre pattes et commença à enfourner les agrafes dans l'agrafeuse.

Klaus se leva gauchement, serrant contre lui les carnets Beauxdraps. Violette escamota les patins à bruit dans son dos.

Mr Remora avala une bouchée de banane et se tourna vers Violette.

– Dans mon histoire de l'âne et du chou, combien de kilomètres parcourt l'âne au petit trot ?

– Six, répondit promptement Violette.

– *Six*, singea Mr Nero. C'est faux, n'est-ce pas, Mr Remora ?

– Mmm, non, c'est exact, mâchouilla Mr Remora.

Et il engloutit une nouvelle bouchée de banane.

Mme Alose se tourna vers Klaus.

– De quelle largeur était le livre à couverture rose et dos bleu ?

– Dix-neuf centimètres, répondit Klaus d'un trait.

– *Dix-neuf centimètres*, singea Mr Nero. Ça n'est sûrement pas ça, n'est-ce pas, Mme Alose ?

– Si, si. C'est la bonne réponse.

– Une autre question, Mr Remora, ordonna le proviseur adjoint.

– Dans mon histoire du champignon vénéneux, demanda Mr Remora à Violette, quel était le nom du chef cuisinier ?

– Roger, répondit Violette – pas seulement parce qu'elle avait compris, mais parce que c'était la réponse.

– *Roger*, singea Mr Nero qui n'avait rien compris.

– Correct, reconnut Mr Remora.

Mme Alose enchaîna :

– De quelle longueur était la sardine numéro sept ?

– Quatorze centimètres virgule cinq, répondit Klaus.

– *Quatorze centimètres virgule cinq*, singea Mr Nero.

– Exact, dit Mme Alose. Vous êtes tous deux d'excellents élèves, malgré votre petit penchant à dormir en classe.

– Pas de commentaires ! gronda Mr Nero. Dépêchez-vous plutôt de les coller. Je n'ai encore jamais eu la chance de mettre un élève à la porte, il me tarde d'avoir ce plaisir.

– Dans mon histoire de pince à sucre et de benne à ordures, reprit Mr Remora tandis que Prunille, agrafeuse en main, transformait ses liasses en brochures, de quelle couleur était la benne ?

– Kaki rayé de jaune.

– *Kaki rayé de jaune*.

– Exact.

– Quelle était la profondeur du poêlon de ma grand-mère ?

– Six centimètres.

– *Six centimètres*.

– Dans mon histoire de belette, quelle était la couleur favorite de la taupe ?

Le contrôle se poursuivit de la sorte à n'en plus finir. Si je vous infligeais toutes les questions et toutes les réponses, vous tomberiez endormi avant trois pages et le présent ouvrage manquerait son but, qui est d'éduquer les jeunes esprits.

En vérité, ces tests étaient si soporifiques que les enfants Baudelaire eux-mêmes auraient bien piqué un petit somme. Mais ce n'était pas conseillé. Une réponse fausse, une agrafe de travers, et c'était le renvoi immédiat, suivi d'un placement direct entre les vilaines pattes de Gengis. Les orphelins se concentraient donc à l'extrême. Violette retrouvait dans les trois secondes ce que lui avait inculqué Klaus ; Klaus retrouvait dans les trois secondes ce qu'il s'était inculqué. Prunille agrafait d'arrache-pied, ce qui signifie ici « vite et bien ».

Pour finir, au milieu de sa huitième banane, Mr Remora se tourna vers le proviseur adjoint.

– Je suis désolé, mais ce n'est pas la peine de continuer. Violette est une excellente élève, et il est clair qu'elle a bien appris ses leçons.

Mme Alose approuva d'un hochement de tête.

– Depuis quarante-sept ans que j'enseigne, je n'ai jamais eu un élève aussi doué pour le système métrique que ce jeune Klaus Baudelaire. Et il semble que la petite Prunille soit également très douée pour le secrétariat. Voyez ces brochures ! Elles sont superbes.

– Pilso, assura Prunille.

– Elle dit : merci beaucoup, traduisit Violette –
alors qu'en fait Prunille disait : « J'ai la main truf-
fée d'ampoules. » Donc, nous restons à Pru… à
l'Institut J. Alfred Prufrock ?

– Oui, gardons-les, M. le Proviseur adjoint, dit
Mr Remora. Pourquoi ne pas renvoyer plutôt
cette Carmelita Spats ? Elle n'apprend jamais ses
leçons et c'est une petite pimbêche, teigneuse,
hargneuse, arrogante et revêche.

– Oh oui ! s'enflamma Mme Alose. Un contrôle
pour Carmelita Spats ! Posons-lui des questions
particulièrement ardues.

– Renvoyer Carmelita Spats ? se récria Mr Nero.
Impossible. C'est la messagère spéciale de
Mr Gengis.

– De qui ? demanda Mr Remora.

– Vous savez bien, répondit Mme Alose. Le
nouveau professeur d'éducation physique.

– Ah oui. J'ai entendu parler de lui, mais je ne
l'ai pas encore rencontré. Comment est-il ?

– C'est le meilleur entraîneur sportif de tous les
temps, affirma le proviseur adjoint, secouant ses

quatre couettes en appui de ses dires. Mais tenez ! Vous allez pouvoir en juger par vous-mêmes, le voici justement.

Les orphelins se retournèrent et constatèrent avec effroi qu'il disait vrai. Gengis marchait droit vers la cabane, sifflotant un air à faire grincer des dents, et un coup d'œil suffit aux enfants pour mesurer combien ils s'étaient trompés dans l'une au moins de leurs présomptions.

Ce n'était pas la présomption que Prunille allait conserver son emploi, encore que celle-là aussi devait se révéler fausse. Ce n'était pas la présomption que Violette et Klaus allaient être maintenus au collège, encore que celle-là non plus ne devait pas se confirmer. Non, c'était la présomption que tout s'était bien passé pour Isadora et Duncan. À chaque enjambée de l'entraîneur, les enfants Baudelaire distinguaient mieux ce qui se balançait à ses mains noueuses : le ruban de Violette et les lunettes de Klaus. Curieusement, à chaque pas, un petit nuage blanchâtre s'élevait de ses baskets.

Mais plus que le ruban, plus que les lunettes, plus que la poussière blanche qui ne pouvait être que de la farine, ce sont les yeux de l'arrivant qui glacèrent le sang des enfants. Car c'étaient des yeux qui luisaient de triomphe, des yeux qui jubilaient d'avoir enfin gagné la partie, une partie engagée depuis très, très longtemps.

Alors les orphelins comprirent que leur présomption concernant le succès de leurs amis avait été la plus erronée de toutes.

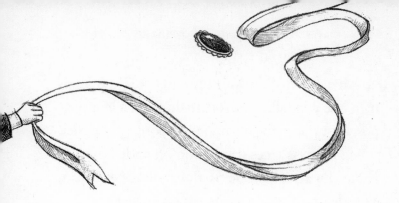

Chapitre XIII

– **O**ù sont-ils ? cria Violette comme Gengis entrait dans la cabane. Qu'en avez-vous fait ?

En principe, on n'entame jamais une conversation de la sorte. On commence par dire bonjour, s'informer de la santé de l'arrivant, Violette le savait parfaitement. Mais son désarroi était grand.

Les yeux de Gengis brillaient comme des diamants, sa voix était suave et posée.

– Tenez, dit-il, je vous les rapporte. Je pensais bien que vous alliez vous faire du souci à leur propos, c'est pourquoi je vous les rapporte sans tarder.

– C'est pas de ces trucs-là qu'on parle ! explosa Klaus, lui arrachant des mains lunettes et ruban. Vous le savez très bien, de *qui* on parle !

– Désolé, mais non, je n'ai aucune idée de *quoi* vous parlez, répondit Gengis en prenant les adultes à témoin. Les orphelins ont fait leurs tours de piste, hier soir ; comme vous le savez, je les entraîne dans le cadre de mon programme E.S.P.O.I.R. Mais ils ont dû me quitter très vite, à cause de leur contrôle ce matin. Dans la hâte, Violette a laissé tomber son ruban, et Klaus ses lunettes. Mais la petite…

– Vous savez très bien que les choses ne se sont pas passées comme ça ! coupa Violette. Où sont les triplés Beauxdraps ? Qu'avez-vous fait de nos amis ?

– *Qu'avez-vous fait de nos amis ?* singea Mr Nero. Arrêtez de divaguer, orphelins Baudelaire !

– Ils ne divaguent pas, je le crains, reprit Gengis, hochant sa tête enturbannée. Comme je le disais avant que cette péronnelle ne me coupe la parole, la plus petite n'a pas suivi derrière les deux grands. Elle est restée affalée par terre, on aurait dit un sac de farine. Alors, je l'ai rejointe et je lui ai donné un petit coup de pied pour la faire remuer.

– Un petit coup de pied, se réjouit Mr Nero. À la bonne heure ! Et alors ?

– Alors, une fraction de seconde, j'ai bien cru que j'avais mis cette petite KO ! Ce qui n'était pas très difficile, vu que, comme sportive, elle vaut zéro.

Mr Nero joignit les mains en extase.

– Je vous comprends absolument, cher monsieur ! Comme secrétaire aussi, elle vaut zéro.

– Mais elle a agrafé toutes ces brochures ! protesta Mr Remora.

– Taisez-vous et laissez Mr Gengis terminer, dit Mr Nero.

– Mais à mieux y regarder, tenez-vous bien, c'était un sac de farine que j'avais mis KO ! Les petits scélérats s'étaient payé ma tête !

– Inadmissible ! rugit Mr Nero.

– Alors, poursuivit Gengis, j'ai rattrapé Violette et Klaus, et j'ai découvert que ce n'étaient pas du tout Violette et Klaus mais ces deux autres orphelins, là, les jumeaux.

– Ce ne sont pas des jumeaux ! rectifia Violette. Ce sont des triplés !

– *Ce sont des triplés !* singea Mr Nero. Ne dis donc pas n'importe quoi. Les triplés, c'est quand quatre enfants naissent en même temps. Les Beauxdraps ne sont que deux.

– Et ces deux Beauxdraps avaient pris la place des Baudelaire, afin de donner aux Baudelaire davantage de temps pour réviser.

– Davantage de temps pour réviser ? répéta Mr Nero avec un sourire ravi. Tiens tiens ! Ça s'appelle tricher, ça !

– Ça n'est pas tricher, plaida Mme Alose.

– Sécher une séance de sport pour réviser, si, c'est tricher, soutint Mr Nero.

– Pas du tout, contredit Mr Remora. Ce n'est qu'une saine gestion du temps. Le sport est une excellente chose, mais il ne devrait jamais empié-ter sur les études.

– Dites ! trancha Mr Nero. C'est moi le pro-viseur adjoint, ici. Je déclare que les Baudelaire ont triché, et par conséquent – youpiii ! – je peux les mettre à la porte. Exclusion définitive. Vous autres n'êtes que des professeurs ; si vous n'êtes pas d'accord avec moi, je peux vous mettre à la porte aussi.

Mr Remora et Mme Alose baissèrent le nez.

– C'est vous le chef, M. le Proviseur adjoint, capitula Mr Remora, tirant une neuvième banane de sa poche. Si vous dites qu'ils sont renvoyés, ils sont renvoyés.

– Eh bien je dis qu'ils sont renvoyés. Et Prunille est licenciée.

– Ranntaff ! commenta Prunille.

Ce qui signifiait, en gros : « Jamais demandé à être embauchée, pour commencer ! »

– Ça nous est bien égal d'être renvoyés, dit Violette. Mais on veut savoir ce que sont devenus nos amis.

– C'est simple, répondit Gengis. Les élèves Beauxdraps doivent être sanctionnés pour avoir pris part à la tricherie, n'est-ce pas ? Je les ai donc conduits au réfectoire et confiés aux mains des serveuses. Pour punition, ils fouetteront des œufs en neige toute la journée.

– Excellente sanction, approuva Mr Nero.

– C'est tout ? demanda Klaus soupçonneux. Seulement fouetter des œufs en neige ?

– Si je le dis ! siffla Gengis en s'inclinant vers les enfants, si près, si près qu'ils ne voyaient plus que ses yeux luisants et le petit sourire mauvais au coin de sa bouche. Ces jeunes Beauxdraps fouetteront, fouetteront jusqu'à ce que les bras leur en tombent.

– Vous mentez, dit Violette.

– Insultes à un professeur ! éclata Mr Nero, ses couettes en émoi. Vous êtes renvoyés doublement.

– Renvoyés doublement ? répéta une voix depuis la porte. *Renvoyés doublement ?*

Puis la voix se tut, le temps de tousser dans un mouchoir, et les enfants Baudelaire surent d'avance qui venait d'arriver.

Mr Poe se tenait sur le seuil, un grand cabas à la main et l'air passablement perplexe.

– Que faites-vous là, tous, dans cette baraque ? s'enquit-il, toujours très courtois. En voilà un endroit pour une conversation !

– Et vous ? rétorqua Mr Nero, on peut savoir ce que vous faites ici ? L'accès à l'Institut J. Alfred Prufrock est strictement interdit à toute personne étrangère au service.

– Je me présente : Poe, Ebenezer Poe. Et vous êtes Mr Nero, je présume ? Nous avons discuté au téléphone, vous et moi. J'ai reçu votre télégramme concernant la dette de vingt-neuf kilos de truffes en chocolat et dix paires de boucles d'oreilles en or fin. Mes associés du Comptoir d'escompte Pal-Adsu ont pensé qu'il valait mieux que j'assure la livraison en personne, alors me voici. Mais quelle est cette histoire de renvoi ?

– Ces orphelins que vous m'avez refilés, répondit le proviseur adjoint (comme si *refiler* faisait partie du vocabulaire d'un proviseur adjoint) viennent d'être pris la main dans le sac, en flagrant délit de tricherie. Je me vois contraint de les renvoyer.

– Tricherie ? répéta Mr Poe, et il fit les gros yeux aux enfants. Violette, Klaus, Prunille, me voilà bien déçu. J'avais votre parole que vous seriez des élèves modèles.

– Euh, en fait, intervint Mr Nero, seuls Violette et Klaus étaient élèves. Prunille était assistante administrative. Mais elle aussi travaillait fort mal.

Les yeux de Mr Poe s'agrandirent et il toussa longuement dans son grand mouchoir blanc.

– Assistante administrative ? Mais Prunille n'est qu'un bébé. Sa place est au jardin d'enfants, pas dans un bureau.

– De toute manière, maintenant, peu importe, fit valoir Mr Nero. Ils sont renvoyés tous les trois. Donnez ces truffes, que je voie si elles sont bonnes.

Klaus serra contre sa poitrine les carnets d'Isadora et Duncan. L'idée lui venait à l'esprit que peut-être ces carnets étaient tout ce qui allait lui rester de ses amis. Il se tourna vers Mr Poe.

– On n'a pas le temps de s'occuper de truffes !
Le comte Olaf vient de faire quelque chose d'horrible à nos amis !

– Le comte Olaf ? s'étonna Mr Poe, tendant les truffes au proviseur adjoint. Ne me dites pas qu'il vous a retrouvés ici.

– Bien sûr que non, intervint Mr Nero. Mon ordinateur de pointe et son logiciel ultra-performant l'ont tenu à l'écart, bien entendu. Mais ces enfants se sont fourré dans le crâne que Mr Gengis est en réalité le comte Olaf déguisé.

– Comte Olaf, articula Gengis lentement. Oui, j'ai entendu parler de lui. Il paraît que c'est le meilleur acteur du monde. Moi, je suis le meilleur entraîneur sportif du monde, donc nous ne saurions être la même personne.

Mr Poe regarda Gengis de la tête aux pieds, tendit la main et dit : « Enchanté. » Puis il se tourna vers les orphelins Baudelaire.

– Les enfants, vous me surprenez. Pas besoin d'ordinateur pour voir que ce monsieur n'est pas le comte Olaf. Le comte a les sourcils soudés en un seul, et ce monsieur porte un turban. Le comte a un œil tatoué sur la cheville, et ce monsieur porte des chaussures de sport. Fort belles, soit dit en passant.

– Merci, lâcha l'intéressé. Malheureusement, grâce à ces enfants, elles sont couvertes de farine ; mais ça s'en ira, j'en suis sûr.

– S'il les enlevait, ses baskets, s'impatienta Violette, et son turban aussi, vous verriez tout de suite que c'est le comte Olaf !

Mr Nero leva les bras au ciel.

– Vous n'allez pas recommencer ! Ses baskets, il doit les garder parce qu'il a tendance à sentir des pieds.

– Et je dois garder mon turban pour raisons religieuses, compléta Gengis.

– Pour raisons religieuses ! répéta Klaus écœuré, et Prunille lança un petit cri approbateur. Parce que c'est un déguisement, oui, plutôt ! Mr Poe, s'il vous plaît, dites-lui d'enlever ce turban.

– Klaus, voyons ! réprimanda Mr Poe. À ton âge, on doit être capable d'admettre l'existence de cultures différentes. Je suis sincèrement désolé, Mr Gengis. D'ordinaire, ces enfants ont l'esprit plus ouvert.

– Pas grave, assura Gengis. J'ai l'habitude de la persécution religieuse.

Mr Poe toussa brièvement.

– Cependant, reprit-il, vous voudrez bien m'excuser, mais je vais devoir vous demander de vous déchausser, ne serait-ce que pour rassurer ces enfants une bonne fois. Nous pouvons tous supporter un peu d'odeur des pieds, au nom de la justice et de la vérité.

Mme Alose fronça le nez d'avance. Gengis fit un pas vers la porte.

– Retirer mes baskets ? Impossible. Il se trouve que j'en ai besoin à l'instant.

– Besoin ? répéta Mr Nero. Et pour quoi faire ?

Gengis posa sur chacun des enfants un long regard goguenard et sourit de son sourire de requin. Puis il répondit :

– Pour courir, naturellement !

Et il sortit de la cabane en courant.

Les enfants ne réagirent pas tout de suite ; ils étaient beaucoup trop saisis. Le comte Olaf, renoncer si vite ? Après s'être donné tant de mal pour mettre en place son stratagème ? Après s'être déguisé en entraîneur sportif, après les avoir obligés à courir neuf nuits de suite, après avoir tout fait pour qu'on les mette à la porte ? Le comte Olaf, détaler sans même résister, renoncer au gibier qu'il avait cherché à prendre ?

Violette, Klaus et Prunille sortirent de la cabane à leur tour et Gengis, toujours courant, se retourna en ricanant.

– Oh ! n'allez pas croire que je vous oublierai, les orphelins ! Mais d'abord j'ai une petite urgence. Je dois m'occuper de deux jeunes héritiers que je viens de capturer, dotés d'une jolie fortune eux aussi !

Du geste, il indiquait l'autre bout de la pelouse, et les enfants Baudelaire eurent un choc.

Là-bas, à l'entrée du collège, stationnait une longue limousine noire dont le pot d'échappement crachait une fumée sombre. Les deux serveuses du réfectoire accouraient vers le véhicule, aisément reconnaissables puisqu'elles avaient enlevé leurs masques : c'étaient les deux femmes au visage poudré qui faisaient partie de la troupe d'Olaf.

Mais ce n'est pas la vue de ces dames qui horrifiait tant les enfants, même si leur présence n'avait rien de plaisant. Non, le plus choquant, c'est ce que chacune emportait vers la voiture noire. Car toutes les deux, poussant, tirant, entraînaient de force les enfants Beauxdraps, lesquels se débattaient comme des diables pour tenter de leur échapper.

– À l'arrière ! leur hurla Gengis. Flanquez-les à l'arrière ! C'est moi qui prends le volant ! Vite !

Mr Poe haussa les sourcils.

– Que fait donc ce professeur avec ces deux élèves ?

Ni Violette, ni Klaus, ni Prunille ne prirent le temps de lui répondre. Les séances du programme E.S.P.O.I.R. trouvaient enfin leur utilité. Bien musclées, bien rodées, les jambes des trois orphelins (sans parler des petits bras de Prunille) pouvaient répondre au quart de tour si besoin était.

Or besoin était. Impérieux.

– On les rattrape ! cria Violette.

Et le trio piqua un sprint.

Violette tirait sur ses mollets, ses cheveux voltigeant au vent. Klaus tirait sur ses mollets, serrant contre son cœur les précieux carnets Beauxdraps. Et Prunille, ventre à terre, tirait sur ses quatre petites pattes. Mr Poe toussota avant de s'élancer derrière eux, aussitôt imité du proviseur adjoint et des deux professeurs. On aurait dit une épreuve sportive aux concurrents un peu disparates, avec un grand diable maigre en tête, puis trois enfants dont un bébé à quatre pattes, et un petit assortiment d'adultes soufflant comme des bœufs à l'arrière.

Puis la compétition se corsa. Les enfants gagnaient du terrain sur l'athlète qui menait la course. Celui-ci avait de longues jambes, mais, contrairement à ses jeunes poursuivants, il avait passé les nuits précédentes avachi dans l'herbe. Les jambes des enfants, quoique plus courtes, avaient passé les mêmes nuits à enchaîner les tours de piste, si bien que courir leur était devenu une seconde nature. À vue d'œil, mètre après mètre, le trio rattrapait la grande silhouette qui galopait en tête.

Ici, à mon immense regret, je me dois d'interrompre cette séquence haletante pour une ultime mise en garde.

Peut-être espérez-vous, en voyant les orphelins Baudelaire rattraper l'adversaire, que cet infâme personnage va se faire capturer enfin. Peut-être même imaginez-vous que les trois enfants vont être confiés à un gentil tuteur et connaître enfin le bonheur – par exemple en créant cette imprimerie avec leurs amis Beauxdraps. Rien ne vous interdit de croire que l'histoire s'achève de la sorte. Si vous aimez mieux en rester là, libre à vous. Le présent épisode de la vie des orphelins Baudelaire s'achève de façon si déplorable, si navrante que je vous recommande vivement, si vous avez l'âme sensible, de refermer ce livre sur-le-champ et d'inventer une fin à votre guise. J'ai fait serment de relater l'histoire dans sa plus stricte exactitude, mais vous n'êtes pas lié par ce serment ; rien ne vous oblige donc à affronter ce qui va suivre.

Encore une fois, c'est votre dernière chance : passé cette ligne, il sera trop tard.

Violette fut la première à rejoindre le pseudo-Gengis. Elle étira le bras et saisit un bout de son turban. Un turban, comme chacun sait, n'est jamais qu'une longue bande d'étoffe savamment enroulée autour d'un crâne. Mais s'enturbanner ne s'invente pas et réclame un sérieux tour de main. Or Gengis avait triché, pour la bonne raison qu'il portait le turban par fourberie, non par conviction religieuse. Il se l'était donc entortillé autour du crâne à la va-vite, comme on le fait d'une serviette éponge après un shampooing. À peine Violette eut-elle tiré dessus que le faux turban se débobina sans résistance et Violette, qui avait espéré retenir le fuyard dans sa course, se retrouva toute bête avec une longue bande d'étoffe dans les mains.

Le faux entraîneur, courant toujours, jeta un coup d'œil en arrière avec une grimace de rage.

Un sourcil unique barrait son front au-dessus de ses yeux luisants.

– Hé ! regardez ! s'égosilla Mr Poe, trop loin derrière pour intervenir mais suffisamment près pour bien voir. Mr Gengis n'a qu'un sourcil, comme le comte Olaf !

Prunille fut la seconde à rattraper le fuyard et, comme elle courait au ras du sol, elle était bien placée pour s'en prendre à ses baskets. En deux coups de dent, elle trancha les lacets. Le laçage se défit, et les belles baskets de compétition se transformèrent en sabots. Prunille avait espéré faire trébucher l'entraîneur, mais il se contenta de sortir ses grands pieds sans même ralentir sa course. Fidèle à ses habitudes, il ne portait pas de chaussettes, et sur sa cheville gauche un œil tatoué brillait de sueur.

– Hé ! regardez ! s'égosilla Mr Poe, toujours trop loin pour intervenir mais suffisamment près pour bien voir. Mr Gengis a un œil tatoué, exactement comme le comte Olaf. En fait… mais oui ! *c'est* le comte Olaf !

– Évidemment que c'est lui ! cria Violette, la longue bande d'étoffe à la main.

– Dzut ! cria Prunille, un bout de lacet entre les dents.

Ce qui signifiait : « Depuis le temps qu'on vous le dit ! »

Klaus restait muet. Il continuait de courir comme un dératé, mais pas pour rattraper celui que nous pouvons enfin nommer le comte Olaf. Au contraire, il le doubla en trombe et fonça vers la limousine. Les deux dames poudrées étaient en train d'enfourner de force les jeunes Beauxdraps sur la banquette arrière. Pour les tirer de là, se disait Klaus, c'était sans doute la dernière chance.

– Klaus ! Vite ! au secours ! cria Isadora en le voyant apparaître.

Klaus laissa tomber les carnets et lui saisit la main.

– Klaus, répéta Isadora, au secours !

– Tiens bon ! répondit Klaus.

Et, de toutes ses forces, il tenta d'extraire Isadora du véhicule.

Mais l'une des dames poudrées, sans mot dire, mordit la main de Klaus à belles dents. Il lâcha prise. L'autre dame poudrée, depuis la banquette arrière, se pencha par-dessus Isadora et entreprit de fermer la portière.

— Non ! hurla Klaus, s'agrippant à la poignée. Non !

Et ce fut un bras de fer entre eux deux, l'une essayant de fermer la portière, l'autre l'empêchant de le faire.

— Klaus ! cria Duncan, de l'autre bout de la banquette. Klaus, écoute-moi ! Si jamais il arri…

— Il n'arrivera rien ! hurla Klaus, tirant de plus belle sur cette portière. Dans une minute, vous serez sortis de là.

— S'il arrivait quelque chose, reprit Duncan, il y a un truc qu'il faut que vous sachiez absolument. En faisant des recherches sur le passé du comte Olaf, on a découvert une information horrible !

— Plus tard, souffla Klaus qui tirait sur cette portière comme un forcené.

– Nos carnets ! lança Isadora. Regardez dedans ! Le...

Mais la première dame poudrée lui plaqua une main sur la bouche. Isadora détourna la tête et lui échappa.

– Le...

La main de la dame poudrée la bâillonna derechef.

– Tenez bon ! criait Klaus au désespoir. Tenez bon !

– Regardez dans nos carnets ! hurla Duncan. V.D.C...

Mais la deuxième dame poudrée le bâillonna à son tour. Avec une violente secousse, Duncan se dégagea le visage une seconde, juste le temps de hurler de nouveau :

– V.D.C. !

Ce fut tout ce que Klaus entendit. Le comte Olaf, sur ses grands pieds nus, venait d'atteindre la voiture à son tour. Avec un rugissement de fauve, il abattit la main sur celle de Klaus et lui détacha les doigts de la poignée, un à un. La portière claqua et le comte décocha à Klaus un coup de pied dans le ventre qui l'envoya rouler au sol, juste à côté des carnets Beauxdraps.

– Tiens donc ! fit le triste sire, toisant Klaus d'un sourire mauvais. Intéressant, ma foi.

Il se pencha et, tranquillement, ramassa les carnets.

– Non ! vagit Klaus.

Mais le comte Olaf, tout sourires, se coula derrière le volant et fit démarrer le véhicule juste comme Violette et Prunille rejoignaient leur frère à terre.

Klaus se releva, se tenant le ventre, et tenta de suivre ses sœurs, désespérément lancées à la poursuite de la limousine.

Mais le comte se souciait peu des limites de vitesse en vigueur dans l'allée, si bien qu'au bout d'une vingtaine de mètres les enfants durent renoncer.

Duncan et Isadora, escaladant les dames poudrées, s'étaient jetés contre la lunette arrière et tambourinaient à la vitre. Ni Violette, ni Klaus, ni Prunille n'entendaient un mot de ce que criaient leurs amis derrière la vitre. Ils ne voyaient que leurs mines terrifiées.

Puis les dames poudrées durent les empoigner, car ils disparurent d'un coup. Il n'y avait plus rien à voir que l'arrière de cette voiture noire qui s'éloignait.

– Il faut les prendre en chasse ! hurlait Violette, les joues zébrées de larmes. (Elle se tourna vers les adultes qui reprenaient haleine, cloués sur place.) Il faut les rattraper !

– Nous allons… appeler la police, haleta Mr Poe en se tamponnant le front. La police aussi… est équipée de logiciels… ultra-perfor-mants. Ils les rattraperont… Où est le téléphone le plus proche, M. le Proviseur adjoint ?

– Vous n'allez sûrement pas appeler depuis le mien ! se récria Mr Nero. Vous avez introduit ici trois mauvais sujets, tricheurs comme pas deux, et grâce à vous mon meilleur enseignant est parti en emmenant deux de nos élèves ! Les Baudelaire sont triplement renvoyés.

– Allons, allons, le calma Mr Poe. M. le Proviseur adjoint, soyez raisonnable !

Les enfants se laissèrent choir dans l'herbe rêche, sanglotant d'épuisement et de rage impuissante. Ils n'écoutaient même pas l'échange entre Mr Poe et le proviseur adjoint, sachant fort bien d'avance – à la lumière de l'expérience – que lorsque les adultes tomberaient enfin d'accord sur les mesures à prendre, le comte Olaf serait loin.

Cette scène, ils l'avaient déjà vécue, mais cette fois-là était la pire. Non seulement le comte s'était enfui, mais il avait enlevé leurs amis, que les enfants redoutaient fort de ne plus jamais revoir. Sur ce dernier point, ils se trompaient ; mais, n'ayant aucun moyen de le savoir, ils redoublaient de sanglots en songeant à toutes les misères que le comte était capable de faire à Duncan et Isadora. Violette sanglotait en songeant à la gentillesse de leurs amis. Klaus sanglotait en songeant qu'ils avaient risqué leur vie pour ses sœurs et lui. Et Prunille sanglotait en songeant à ces informations secrètes qu'ils n'avaient pas eu le temps de leur communiquer.

Blottis comme trois oisillons, les enfants Baudelaire sanglotaient sans bruit tandis que les adultes discutaillaient. Au bout d'un moment – à la minute même où le comte Olaf forçait ses captifs à enfiler des costumes de chiots afin de les faire embarquer en avion –, leurs larmes se tarirent enfin.

Alors, assis sur le gazon qui piquait, ils levèrent le nez en silence vers les bâtisses en forme de tombe et l'arche de pierre avec ses inscriptions :

### Institut J. Alfred Prufrock
### Collège-Lycée privé – Pensionnat

et la devise *Memento mori* par-dessous. Ils posèrent les yeux sur l'allée où le comte Olaf avait ramassé les précieux carnets Beauxdraps. Puis ils échangèrent de longs regards muets.

Il leur revenait en mémoire cette vérité déjà évoquée : en période de tension extrême, on se découvre parfois une énergie insoupçonnée alors qu'on se croyait épuisé. Et à l'instant même, justement, Violette, Klaus et Prunille Baudelaire sentaient remonter en eux cette énergie en réserve.

– Au fait, demanda Violette à Klaus, qu'est-ce qu'il te criait, Duncan, tout à l'heure ? Qu'est-ce qu'il t'a crié, à propos des carnets ?

– Qu'il fallait regarder dedans. Sauf qu'on ne les a plus. Et aussi : V.D.C. Aucune idée de ce que ça peut vouloir dire.

– Cidjiou, conclut Prunille. Autrement dit : « À nous de le trouver. »

Ses aînés acquiescèrent. Il fallait percer le secret de ce V.D.C., et celui de l'horrible découverte dont avait parlé Isadora. Peut-être alors pourraient-ils secourir les deux triplés ? Peut-être alors pourraient-ils envoyer le comte Olaf devant ses juges ? Peut-être même pourraient-ils éclaircir les circonstances ténébreuses dans lesquelles leur vie avait basculé ?

Un petit vent s'était levé, qui faisait bruire l'herbe roussie et s'engouffrait sous l'arche de pierre à la devise mélancolique, *Memento mori*, « Souviens-toi que tu mourras ».

Les yeux sur la devise en latin, les enfants Baudelaire se firent une promesse : avant de mourir, vaille que vaille, ils élucideraient ce noir mystère qui jetait une ombre sur leurs vies.

FIN

# TABLE DES MATIÈRES

**LEMONY SNICKET** a fait sa scolarité dans des établissements variés, tantôt publics, tantôt privés, sans parler de cours particuliers. D'abord acclamé comme brillant esprit, ensuite décrié comme brillant escroc, il a été plus d'une fois confondu avec quelqu'un de beaucoup plus grand que lui. Son art consommé de l'enquête est pour l'heure exclusivement consacré aux malheurs des orphelins Baudelaire, dont le récit, publié par épisodes, est traduit en divers langages, parlers et dialectes à travers le monde entier.

*Rendez-lui visite sur Internet à http://www.harperchildrens.com/lsnicket/*
*E-mail : lsnicket@harpercollins.com*

**BRETT HELQUIST** est né à Gonado, Arizona, il a grandi à Orem, Utah, et vit aujourd'hui à New York. Il a étudié les beaux-arts à l'université Brigham Young et, depuis, n'a plus cessé d'illustrer. Ses travaux ont paru dans quantité de publications, dont le magazine *Cricket* et le *New York Times*.

**ROSE-MARIE VASSALLO** a eu la chance de ne pas faire ses études à Prufrock, mais dans un bon vieux lycée sans crabes, avec blouses d'uniforme à petits carreaux. Des profs de bonne trempe, pas de Néron à l'administration, une « surgé » (alias conseillère d'éducation) défendant ses ouailles bec et ongles contre toutes les injustices... Est-il encore temps de dire merci ?

À mon éditeur attentionné

Bien cher éditeur,

Veuillez excuser, je vous prie, ce ridicule papier à fioritures. Je vous écris depuis l'un des dix-sept boudoirs du 667, boulevard Noir, et ce papier à lettres est le seul disponible dans le quartier. Je viens enfin de boucler mon enquête sur le séjour des orphelins Baudelaire en ce lieu ultra-chic, ultra-huppé, ultra-sinistre, et je prie le ciel de bien vouloir vous faire parvenir mon manuscrit.

Mardi en huit (pas mardi qui vient mais le suivant), achetez un aller simple, première classe, pour l'avant-dernier train quittant la ville. Puis, au lieu de monter à bord, attendez le départ du train et descendez sur la voie – non sans vérifier à droite et à gauche qu'aucun nouveau convoi n'est en vue. Là, vous trouverez le dossier complet de mon enquête, intitulé *Ascenseur pour la peur*, ainsi qu'un des nœuds papillons de Jérôme, un sac de la boutique *In*, un échantillon du lot n° 50 et le manteau du portier, afin d'aider Mr Helquist à illustrer ce sombre épisode de la vie des enfants Baudelaire.

Dois-je vous le rappeler ? Vous êtes mon seul espoir : sans vous, jamais le public n'aurait connaissance des aventures et mésaventures des trois orphelins Baudelaire.

Avec mes sentiments respectueux,
Lemony Snicket

*Lemony Snicket*

Cher lecteur,

Si tu n'as pas encore eu ton compte de malheurs, tu peux acheter d'autres épisodes de la série

chez ton infortuné libraire. Il te les vendra peut-être, bien malgré lui, à condition que tu insistes longuement. En effet, le sort ne va cesser de s'acharner sur Violette, Prunille et Klaus…

# ACTIVEMENT RECHERCHÉ : LEMONY SNICKET

*Les fausses bonnes questions* de **LEMONY SNICKET** ①

Par l'auteur des *Orphelins Baudelaire*

Nathan

# LA NOUVELLE SÉRIE EN LIBRAIRIE

**FLASHEZ POUR DÉCOUVRIR LE PREMIER CHAPITRE**

## *Découvrez d'autres romans dans la même collection*

### Les enquêtes d'Enola Holmes : La double disparition
NANCY SPRINGER
Ill. de Raphaël Gauthey
*Policier (à partir de 11 ans)*

Ma mère m'a appelé Enola, qui, à l'envers, se lit *alone*, « seule » en anglais. Et lorsque Mère disparaît, le matin de mon quatorzième anniversaire, c'est bel et bien seule que je me suis retrouvée. Appelés à l'aide, mes frères Mycroft et Sherlock Holmes – oui, le célèbre détective – n'avaient en fait qu'une idée en tête : m'envoyer en pension pour faire de moi une *lady*. Mais, me refusant à accepter ce sort, je décidai plutôt de prendre mon destin en main et de me lancer, seule, à la recherche de ma mère.

### L'énigme Vermeer
BLUE BALLIETT
Ill. de Brett Helquist
*Policier (à partir de 11 ans)*

Un tableau de Vermeer d'une valeur inestimable a été volé ! Cet acte provoque un scandale international parmi les plus grands experts en histoire de l'art. Face au curieux enchaînement des événements, Petra et

Calder, bientôt douze ans, mènent l'enquête. Des lettres anonymes, des messages codés, une vieille dame peu commode, un livre excentrique, une institutrice hors du commun et quelques bonbons bleus les aideront à assembler les pièces d'un véritable puzzle et à résoudre peut-être l'énigme Vermeer…

### L'énigme de la maison Robie
BLUE BALLIETT
Ill. de Brett Helquist
*Policier (à partir de 11 ans)*

Bouleversement à Chicago : la maison Robie, œuvre du génial architecte Frank Lloyd Wright, va être démantelée. Or, un mystère hante le bâtiment déserté depuis longtemps : des fenêtres qui s'ouvrent toutes seules, des ombres qui rôdent, des accidents inexpliqués… Petra, Calder et Tommy multiplient les tentatives pour sauver ce chef d'œuvre du patrimoine artistique mondial. Mais la méfiance règne entre les enfants. S'ils veulent résoudre cette nouvelle énigme, ils n'auront d'autre choix que d'unir leurs forces…

MIXTE
Papier issu de
sources responsables
FSC® C022030

N° d'éditeur : 10211716 – Dépôt légal : août 2009

Imprimé en France en décembre 2014 par Jouve,
1, rue du Docteur Sauvé, 53100 Mayenne
N° d'impression : 2172790R